宇宙からのメッセージ
波動の法則

CONTEMPORARY WORLD CULTURE
AND ITS FUTURE
by Ikuro Adachi

足立育朗

ナチュラルスピリット

作品「宇宙の流れ」(C-2・3号) 足立幸子

作品「究極の宇宙意識」(B-15・10号) 足立幸子

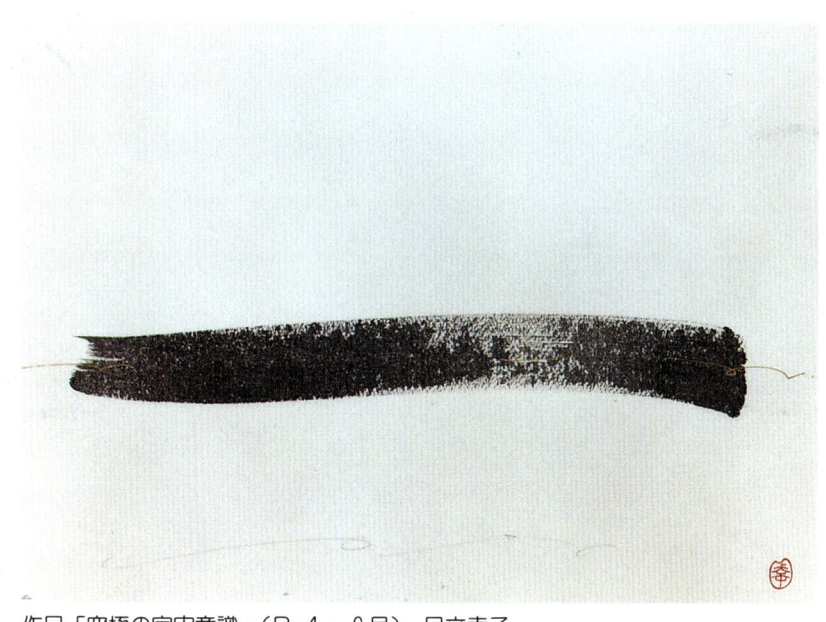

作品「究極の宇宙意識」(B-1・6号) 足立幸子

ヒーリングヒル逗子YOYO　模型写真（FALF）　逗子市
〔設計：樹生建築研究所〕

ヒーリングヒル逗子YOYO　内部空間（FALF）　逗子市
〔設計：樹生建築研究所〕

電磁波動・物質波動エネルギー調整装置(FALF)
〔池島・フーズ株式会社内:掛川市〕

磁気波動エネルギー調整装置(FALF)
〔池島・フーズ株式会社内:掛川市〕

老眼を正常化する装置(FALF)

作品「NINNA-2」(ARUT FALF)　足立育朗

作品「NINNA-5」(ARUT FALF)　足立育朗

QRSコード	NO	カウント
1.神経細胞	0201	2240×10^4
2.糖尿病	1009	2280×10^4
3.アルツハイマー病	0462	2280×10^4
4.パーキンソン病	1030	2200×10^4
5.骨ズイ性白血病	G161	2080×10^4
6.リウマチ性疾患	.033	2200×10^4
7.脳細胞	E016	1880×10^4
8.腰痛	A333	2000×10^4
9.C型肝炎ウイルス	A107	2080×10^4
10.肝硬変	A026	2240×10^4

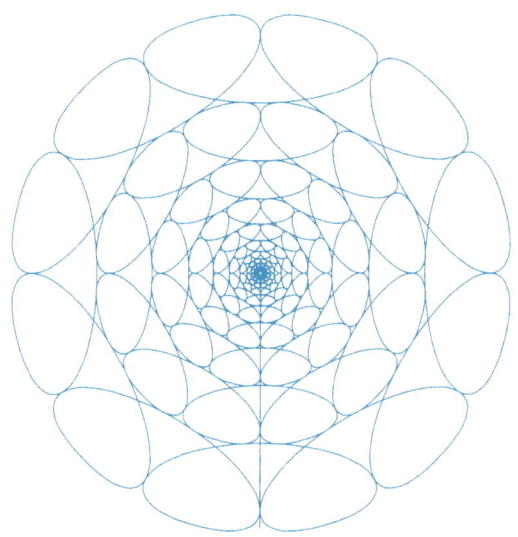

作品「DEKORUVON-12」（FALF ARUT）　足立育朗

※FALF ARUT DEKORUVON-12は、医学博士 中村國衛先生、並びに医学博士 中村良子先生の御厚意により、QRSにて測定していただきました数値です。

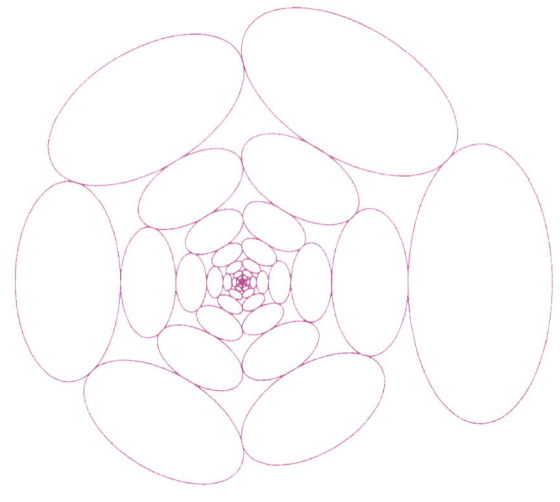

作品「JUNEQES-16」(FALF ARUT) 足立育朗

まえがき

本書で述べます事項は、基本として参考文献は一切ございません。また原則として、推察や仮説を立てず、私自身が直観で得た宇宙からの情報の一部をできる限り、科学的に正確に具体的にご報告したいと思います。

本当の宇宙の仕組がどのような状態であるのか、また、地球という星の今の私たちの考え方や生き方がどのくらい自然の法則にかなったものなのか、などについてお伝えさせていただこうと思います。

そして、やがて迎える地球自身の原子核の集合体（EXA PIECO 本文参照）が予定しているレベルに成長し終る時までに、私たち地球人は、どんな準備が必要であり、またそれらをどのように実行されたら良いのかなども、是非お伝えしたいと思っております。

従いまして、私は、過去、現在の資料を集め、思考し、哲学し、論理を組み立て理論化し、主義主張をするつもりはまったくございません。実は、そのような方法で理論化することこそがこだわりであり、地球のこの五千年来の文化の特徴となり、その結果が、ここまで自然の法則に反した不調和な文化を生み出してしまったという情報ですから……。

私の役割は、地球よりはるかに調和のとれた文化を持ち、この銀河系の知的生命体が住む、700億以上の星からの情報や、他の銀河系からの各種情報の一部を報告し、あとは実現できるよう実行あるのみです。現在の地球には、いたずらに議論をし、時間を浪費している余裕がないようです。なぜなら、残念ながらそれは、私たちの今の文化があまりにも未熟であることを知らされてしまったからです。もちろんその今の文化にこだわり続ける方々は、それを選択し、体験を通じてスタディをしていただくこともよいでしょう。

いずれにしましても、あとは読者の皆様方にご判断をゆだねることとし、来たるべき素晴らしい真の宇宙時空間文化時代に間に合うよう、地球の人間の一人でも多くの

方が、宇宙の法則の本質に気づき、一時も早く意識（と意志）の変換が行われ、行動をとられるよう、心を込めて愛の振動波を送らせていただきます。
信じる必要も、説得される必要も全くありません。ただただ深く気づくのみです。
新世紀のために。

一九九五年十一月八日

　　　　　　　　　　　足立　育朗

宇宙語	読み方	意　味
FECHN	フェクン	エクサピーコとボディのKECI体層をつなぐ振動波
ANTASKALANA	アンタスカラーナ	エクサピーコとボディのHCIN体層をつなぐ振動波
AQUA	アクア	エネルギー形態－海水
GOUOZ	ゴウオズ	エネルギー形態－空気
COJA	コージャ	エネルギー形態－陽子の回転体
GELIS	ゲリス	エネルギー形態－中性子の回転体
CAU	カウ	エネルギー形態－クォーク
OQUA	オクア	エネルギー形態
SACFIP	サクフィップ	エネルギー形態
ZAGIO	ザギオ	エネルギー形態
PUDAX	プダックス	エネルギー形態
LESK	レスク	エネルギー形態
KUQESP	クケスプ	エネルギー形態
IPSE	イプセ	エネルギー形態
CAZAG	カザグ	エネルギー形態
APLO	アプロ	エネルギー形態
FANT	ファント	波動の形態－総称－
CEGIN	セギン	波動の形態－物質波
DILEKA	ディレカ	波動の形態－電磁波
KEGOT	ケゴット	波動の形態－磁気波
GIMANEH	ギマネ	波動の形態－ギマネ波
DILEGJ	ディレッジ	波動の形態
FIEGHOK	フィーゴック	波動の形態
HRINU	リヌー	波動の形態
JITDO	ジッドー	波動の形態
VIRWO	ビィルウォ	波動の形態
MEHVOF	ミーボフ	波動の形態
PHUYE	プイエ	波動の形態
GJIWO	ジヴォ	波動の形態
DESUN	デサン	波動の形態
DOVEP	ドヴェプ	波動の形態
FIVUPA	フィヴパ	波動の形態
JOKA	ジョーカ	波動の形態
JANCI	ジャンスイ	波動の形態
FEWU	フェヴ	波動の形態
IMOH	イモー	波動の形態

宇宙語一覧表

宇宙語	読み方	意味
FINF	フィンフ	波動
ODEO	オデオ	中性子
TOBE	トベ	陽子
CUNIEO	クニオ	電子
ATOMH	アトム	原子
OCTSTOP	オクツトップ	クォークを構成する物質
PIECO	ピーコ	原子核
DICAG	ディカグ	顕在意識
FIK	フィック	潜在意識
EXA PIECO	エクサピーコ	本質の意識と意志＝原子核集合体
FIDA	フィーダ	惑星連合
FILF	フィルフ	銀河連合
FALF	ファルフ	エネルギー蘇生装置
HMLAK	ムラク	原子核集合体ー雲
GINUP	ギヌプ	原子核集合体ー人間（第一段階）
HRUFOZ	ルフォッツ	原子核集合体ー人間（第二段階）
CEFJS	セフス	原子核集合体ー人間（第三段階）
KEHV	ケーフ	原子核集合体ー人間（第四段階）
DOHS	ドース	原子核集合体ー人間（第五段階）
HSANU	サヌー	原子核集合体ー星
JOT	ジョット	原子核集合体ー星
CIOP	シオップ	原子核集合体ー銀河
GHOKL	ゴークル	原子核集合体ー銀河グループ
CEG	セグ	原子核集合体ー銀河グループ
DHLO	ドウロ	原子核集合体ー銀河全て
EHKO	エーコ	究極の意識と意志
AHANP	アーンプ	振動波の層
KECI	ケーシー	振動波の層
ASTLAL	アストラル	振動波の層
CHOAD	コアード	振動波の層
COSAL	コーザル	振動波の層
MENTAR	メンタル	振動波の層
EHTEL	エーテル	振動波の層
HCIN	シン	振動波の層
GINO	ギノー	その星の情報層
JEFISIFUM	ジェフィシファム	宇宙の情報層
CEK	セク	振動波の層──総称──

波動の法則　※目次

まえがき
宇宙語一覧表

第一章　宇宙との調和

だれもが「本質」という「意識」と「意志」を持っている　18
宇宙との調和度を知る　19
地球全体の平均の調和度は？　21

第二章　「波動」と現代地球文化

「創造」と「直観」はどう結びついているのか　24

設計の仕事をしていて気づいたこと
「直観」「閃き」は「波動」から起こる 25
「波動」とは何か、なぜ同調できるのか 27
顕在意識が人間の気づきを妨げている 30
生き方を変えたら宇宙からの情報が入ってきた 31
物理的現象が起きていることの証明 33
科学的な資料収集の試み 35
全然知らないことでもわかってしまう不思議 37
空間の「波動」の情報を求めて 42
どのようにしたら自分の周波数変換ができるか 43
「描かれている」感覚が起きてくる 46
描いた図からエネルギーが出ていた 49
本質を研究されないまま有効利用されている「波動」 54
全てを現象でとらえようとする現代地球文化 56
宇宙的に見て現代地球文化のレベルはかなり低い 58
60

第三章 中性子・陽子・電子の構造と性質

中性子・陽子・電子の形態を知ろう 66

人間の「意識」は中性子、「意志」は陽子だった 74

電子の役割を知ろう 76

見えるものにも見えないものにも全てに「意識」と「意志」がある 78

クォークとは宇宙中に充満しているエネルギー 79

宇宙の仕組の成り立ちを理解しよう 82

間違った方向へ進んでいる現代のクォークの研究 83

現代地球文化がまず気づくべきこと 84

自然界のあらゆる現象は「波動」の組合わせ 86

第四章 三つの「意識」と「意志」

「意識」と「意志」には三種類ある 92

第五章 原子核の集合体〈EXA PIECO＝本質≒魂〉のスタディ

顕在意識と潜在意識の役割を知ろう 93

「意識」および「意志」を別と考えてしまった自然科学 96

本質の「意識」と「意志」 99

原子核の集合体の構造と性質を知ろう 105

原子核の集合体はスタディによって成長する 108

自我がもたらす不調和な振動波を防ごう 112

顕在意識が「本質」を歪めてしまっている現代 114

原子核の集合体はスタディが進むに従って「軽くなる」 115

地球の周囲では原子核の集合体がスタディを待っている 118

地球には未熟な段階の原子核の集合体がたくさんある 121

地球の文化が発振する波動はまだ周波数が低い 123

顕在意識を止めなくても情報が得られる条件とは 125

第六章 地球文化の未来──時空間移動(テレポーテーション)を経て

原子核の数が増えるということの意味を知ろう 128

顕在意識の「意識の変換」がポイント 130

「決心」することが原子核の集合体を成長させる 132

究極の宇宙意識へ向かって 135

宇宙の時空間の仕組を知ろう 138

地球でのスタディが終わった時に起きること 142

新しい地球に生まれ変わる段階が近づいている 143

地球の時空間移動を起こす「波動」・ギマネ波 145

「時間」と「空間」を切り離さずに考えよう 150

時空間移動の本質を理解しよう 152

時空間移動した先で再生できるよう「本質」を磨こう 154

第七章 宇宙の法則と波動

宇宙の時空間は(EHKO)という原子核の集合体

宇宙の時空間＝(EHKO)の原子核の集合体(EXA PIECO)

人間のボディの構造

第八章 病気の本質

「意識」の変換によって病は解決の方向に向かう

ウィルスや癌細胞は人間の歪んだ顕在意識が生み出した病原菌と「闘う」「殺す」という意識は自然の法則に反する

人間の歪んだ振動波は自然の調整能力を超えてしまった

半導体の振動波は脳の神経細胞を歪める

顕在意識が自然の法則にかなう方向に意識変換しよう

全ての現象は自分の発振した振動波と同調して起こる

第九章 これからの生き方について——質問に答えて

自分より未熟な存在をサポートするようにスタディしよう
癌を正常化する波動の種類がある 202
病は「本質」に気づかせるためのメッセージ 203
「健康で長生きできてしまう意識」への変換をはかろう 207

足立育朗とのQ&A 215

Q「潜在意識」のある場所および脾臓の働きについて知りたいのですが……。 215

Q地球のテレポーテーションということですが、人間ではない動物、鉱物、植物は一緒にテレポーテーションできるのでしょうか。 216

Q人間は同じような行動をとっても内容が全然違うというお話ですが、その辺りのことについて少し詳しくお伺いしたいのですが。 218

Q自分なりに気づいたことを現実の職場や環境にいかに実行し伝えていったら良いか、対応についてのアドバイスがほしいのですが……。 220

Q 自然の法則にかなって調和のとれた方向に「意識」の変換をするためには、日常の生活でどのようにしたらよいでしょうか。 223

Q 地球がテレポーテーションする時、地球の原子核の集合体(EXA PIECO)と同調できないレベルの人はどのようになるのでしょうか。 228

おわりに

巻末資料

波動の法則
──宇宙からのメッセージ

装　幀：上田晃郷

チューニング：形態波動エネルギー研究所

第一章 宇宙との調和

だれもが「本質」という「意識」と「意志」を持っている

いま、まさに地球はエネルギーの大変換を行っています。このような時期に私ども人類がこの星の上に生を持ち、お互いにめぐり逢い、文化を築いていることは、大変意義深いことと思われます。しかしこれは偶然ではありません。

宇宙からの情報では、私ども人間は、一人ひとり本質というエネルギー体の振動波（詳細は後述します）が存在し、それは全て承知の上で、それぞれが、この時期にその人間を選択して宇宙の仕組みを理解し、この文化がより宇宙と調和のとれる方向へ変換できるよう、ある役割をしながらスタディするのが目的で生まれたそうです。

人間だけに限らず、動物も植物も鉱物も全ての存在物は、それ自体振動体として宇宙との調和の度合いに応じた本質的な振動波を常に受振、発振しています。人間の場合も、肉体を持っている一人ひとりの方が「本質」という「意識」と「意志」を持ち合わせています。

第一章　宇宙との調和

宇宙との調和度を知る

　宇宙の仕組ではその本質の振動波が宇宙との調和の度合に応じておおまかにまず10段階に分けられています。そして宇宙と調和がとれて、あるステップを踏んだ状態を示す時に、周波数をもとに基本の10段階を踏んで、より大きな意味での「1段階」であるという言い方をしています。これを「10のマル1回」とも言っています。この時、本質は10⁷⁸Hzという周波数で振動しています。

　これは宇宙との調和度と言い、そのものの本質の存在が、自然の法則にかなってどのくらい調和がとれているか、そして、スタディがどのように進んでいるか、をチェックする一つの方法で、普通は常に上がったり下がったりしている方が多く、決してこだわる必要はありませんが、調和がとれていくことは、大変重要なことではあります。

　「本質」がさらに宇宙と調和のとれる方向に向かうと、この基本の10段階を何回も繰

り返していき、何十回、何百回、何千回と、調和度が上がっていきます。それに伴って、周波数もどんどん上がっていきます。このように数字を使ってお伝えするのは、今の地球の文化ができる限り科学的に理解するということで成り立っていて、私どもがそれを基準にしてあらゆるものを理解するという習慣になっているからです。

ですから、できる限り科学的に、数字で示せばデジタル的に、図解できればアナログ的な方法で、入ってきた情報を説明するという形をとらせていただこうと思います。

前述の周波数として10^{78}Hzという言い方をしましたが、周波数というのはご存知のように「波動」ですから、振動体として1秒間にどれくらい振動しているかということです。存在しているものがみんな振動体であって、振動波を発振しています。その発振している本質が、宇宙の仕組みを理解した度合いに応じて、周波数が高くなり、1秒間に10の78乗回（10^{78}）くらい振動して、細かく精妙な「波動」に周波数が高くなった状態の時を、第一段階のステップを踏んだと言います。それが一つの目安の単位になります。

地球全体の平均の調和度は？

それでは、地球上の一人ひとりの方を合わせた全体の平均の調和度はどうかと言いますと、今、この時期の56億の人口の平均は7段階位です。次の図表1をご覧ください。今ちょうど⑦の0位、基本の10段階の間にさらにもう10段階ずつあります、⑥の9から⑦の0が、地球の人間の今現在の平均なのです。56億の方の周波数の状態が、それを示しているのです。まだ「⑩のマル」になっていないのです。

宇宙からの情報では、現時点で地球人の平均が（◎→○）105回以上であれば、予定の状態だそうです。しかし前記のように、現実には大変な差がありますので、一時も早く、大勢の方々がシフトされるよう、多少でもお役に立てればとのメッセージにより、今の地球の文化に最も必要な情報を提供させていただくことになりました。

図表1 宇宙との調和度の波動指数表

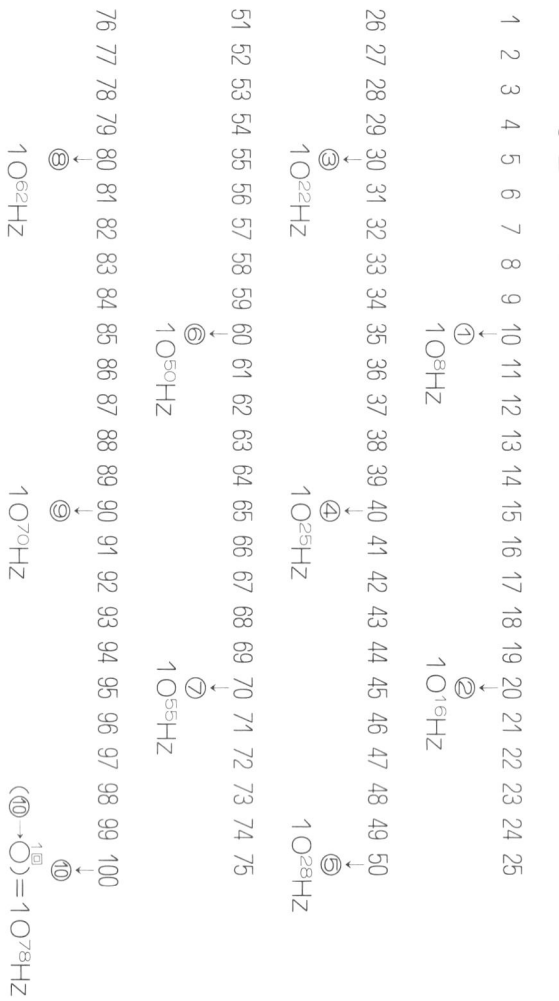

1 2 3 4 5 6 7 8 9 10 11 12 13 14 15 16 17 18 19 20 21 22 23 24 25
　　　　　　　　　　　　　　　　①←　　　　　　　　②←
　　　　　　　　　　　　　　　10^8Hz　　　　　　10^{16}Hz

26 27 28 29 30 31 32 33 34 35 36 37 38 39 40 41 42 43 44 45 46 47 48 49 50
　　　　　③←　　　　　　　　　④←　　　　　　　　　　　　　　　⑤←
　　　　10^{22}Hz　　　　　　10^{25}Hz　　　　　　　　　　　10^{28}Hz

51 52 53 54 55 56 57 58 59 60 61 62 63 64 65 66 67 68 69 70 71 72 73 74 75
　　　　　　　　⑥←　　　　　　　　　　　　　　　⑦←
　　　　　　10^{50}Hz　　　　　　　　　　　10^{55}Hz

76 77 78 79 80 81 82 83 84 85 86 87 88 89 90 91 92 93 94 95 96 97 98 99 100
　　⑧←　　　　　　　　　　　　　⑨←　　　　　　　　　　　　　　　⑩←
　10^{62}Hz　　　　　　　　10^{70}Hz　　　　　　　(⑩→○)=10^{78}Hz

第二章 「波動」と現代地球文化

「創造」と「直観」はどう結びついているのか

私には全く特別な能力があるわけでもありませんし、一般的によく言われている、超能力のような特別なことも、小さい時から一度も経験したことはありません。

ただ、建築家として設計をするという仕事をしていますから、「直観的にものを創る、創造する、クリエーションする」というのはどういうものかということについていつも考えていたわけです。何もないところに何か形態を生み出す、ものを創るという仕事を、ない知恵をしぼってやっていたわけです。

一方、私には六歳年下の妹がおりましたが、その妹の幸子の方はデザインをするが、アートとして表現するという仕事をしていました。ですから、ものを創るという意識では共通していて、いつも二人で話し合っていたわけです。そしてたまたま十年くらい前（一九八四年頃）、同じ時期にそれぞれ直観的に感じたのは、どうやら論理を組み立てるプロセスを経て、ものが生まれるのではないということです。

第二章 「波動」と現代地球文化

本当に大事な部分は、直観で閃いたそのきっかけみたいなものがあって、その後で裏づけを整理して具体化しているのではないかということです。現実に大きな発明や発見や大転換をした思想などは、それがどのような分野の方でも、最初にどうやら直観があったのではないかということです。その直観を具体化した後に、それを世の中に理解して頂くための説明をするために整理しているのではないか、そのような閃きみたいなものが、まずあるようだ、ということを感じたのです。

これはもう理屈抜きで直観でそう感じたわけですが、こういったことがいったい何なのか、いつも考えていました。

設計の仕事をしていて気づいたこと

私自身、設計に携わって三十年くらいになりますが、今から十年くらい前、ちょうど二十年くらい設計に従事した頃、次のようなことを感じていました。

設計においては、敷地を見て、その敷地に対するあらゆる客観的な資料（風の状

態、雨の状態、そして石や土や苔など）を集め、また、その自然の状態を見たり、気候、風土それからその晴れた日、曇りの日、昼の状態、夜の状態という形で、とにかく調べられるだけ資料を集めて把握した上で、整理をするといったステップをまず踏むわけです。そして後は、建て主さんの考え方とか、生き方とか、目的・用途によって、基礎資料全部を基に、それにかなったものをその環境に対してどのように具体化するかというふうに、イメージを構築していきステップを踏んでいくわけです（もちろんそこには、ほとんどの建築家の場合、独断と偏見ともいえる自我が含まれていますが）。

これは建築に限らず、どんな仕事をされている場合でも、必ずいろいろな形で資料を集め、それを整理されているはずです。そして、新しいものを生み出そうとする時には、それら集めた資料を基に、そのバリエーションでさまざまに推理、推測し、試行錯誤するわけです。

ところが、そのように試行錯誤している過程で行き詰まり、疲れた時にひと休みする。ひと休みする時には皆さんいろいろな息抜きをすると思うのですが、どんな息抜

26

第二章 「波動」と現代地球文化

きをするにしても、基本としては思考を停止してしまう状態になると思うのです。要するに一生懸命考えて、もう行き詰まった状態で疲れたから、散歩をしようとか、トイレに行ったり、お風呂に入ったりとか、要するに今やっていたり、考えていたりしたことを止めてしまっている状態がその時に起きます。そして、考えるのを止めてしまっているその時に、「あっ、これだ」という気づきの「閃き」や「直観」を経験したことはどなたでもあると思うのです。

「直観」「閃き」は「波動」から起こる

これは何なのでしょう。誰でもみんな経験のある「直観」、「閃き」の状態は、どういう時に起きているのでしょう。

伝記ものなどを読みますと、偉業を成し遂げた方は必ずと言っていいくらい、人生の転換期とか、一大発見をしたとかいう、何か大きな転換をするもとになっているような瞬間に、どうも理屈抜きの「直観」がまずあったようです。「直観」で閃いてし

まったものを、今度は自分自身も納得できるようにいろいろ資料を集めて整理したり、他の方にもわかってもらい、理解してもらえるように、それを整理して具体化していく例は、中学時代や高校時代に読んだ伝記ものを思い出しても非常に多くあります。

 それではその「直観」「閃き」というのは何なのか。これも「直観」だったのですが、「直観」「閃き」はどうやら「波動」なのではないかと感じたわけです。「波動」でもって、それが何らかの形で周波数、波長といったものと同調し、一体化するという形で情報が入ってくるというように「直観」で感じたのです。そして「創造」「クリエーション」というのは、どうも論理を組み立てて、バリエーションを一生懸命つくって、そのまま推理、推測していくというのとは違うのではないか、その違う部分に何かあるのではないかと、思ったわけです。

 これを自分で体験した方法で言いますと、設計においては、論理を組み立ててスケッチをし、模型を何種類も作って、そのいろいろなバリエーションの中から一番正解になりそうな模型を何案かに絞って、建て主さんのところに持って出かけます。しか

第二章 「波動」と現代地球文化

し、そういった時に何となく理屈抜きで、論理で組み立てていくプラン以外に、自分では何か〝本当はこうじゃないかな、そこにこういう形態があった方がいいんじゃないか、こういう空間の方がいいんじゃないか〟と思うことがたびたびあったのです。論理的には決定案で、自分も納得し、建て主さんも了解し、納得してくださったのですが、実現をする予定のないプランでも、理屈抜きでこの方がいいと思うものを、粘土で創ったり、バルサ（木の模型材料）でその模型を作ったり、といったことを時々やっていたわけです。

このような、何だかわからないけど感じて、〝本当はこういう感じじゃないかな〟というもの、これは、やはり「直観」や「閃き」と同じ類（たぐい）に入ると思うのです。

繰り返しになりますが、それが何なのかについて、十年前に「直観」「閃き」のもとになるのは「波動」で、それが共振、同調するらしいと、これも「直観」「閃き」で感じたのです。

「波動」とは何か、なぜ同調できるのか

　それでその頃、「波動」で同調するとはどういうことなのか、現代科学の波動について調べなければと感じました。

　実際に調べてみますと、「波動」には周波数・波長・波形・振幅というものがあることがわかりました。もちろん、それ以外にもいろいろありますが、地球の今の文化ではだいたいその四つくらいが中心に考えられています。そして大きな意味で「波動」の性質を利用して実用化しているわけです。

　例えば、テレビやラジオがどういう形で現実に現象を起こしているのか、ということを調べると、これらも「波動」の性質を利用していることがわかります。

　東京タワーからは、テレビ局のさまざまなチャンネル（東京方面のもの）の、ある周波数・波長・波形・振幅をもった振動波が出力され、発振されていますが、私どもの五感ではその振動波を直接感じたり、見たりすることはできません。それでもテレ

第二章 「波動」と現代地球文化

ビという道具に電源を入れて、スイッチを入れて、テレビ局から発振されている特定の振動波にチューニングをすると受振できるわけです。テレビは同じ周波数・波長・波形・振幅の振動波をわずかに発振することによって、共振、同調して受振しています。強いエネルギーのほうが、そのまま現象として、同調した状態が画像に映るような仕組みができているわけです。

音についても同じことが言えます。ラジオも同様の方法で、TBSならTBSの、954なら954のサイクルという振動波で発振されているものが、ラジオ自体がやはりわずかに同じ振動波を発振すれば、同調して現象が起きるのです。

これらは「波動」の性質を利用し、道具として人間が開発しているものですが、人間の「直観」や「閃き」も実は同様なのです。

顕在意識が人間の気づきを妨げている

にもかかわらず、そのようなことがふだん起きていても、人間がそのことに気づい

ていないのです。もしくは、それとなく気づいてはいても「直観」「閃き」をそのまま行動に移して実現させるのではなく、それを修正して具体化してしまっているわけです。

人間は常に迷ったり、判断したりということを繰り返しています。これは顕在意識です。迷うこと、判断することは、顕在意識が自分の身の周り、自分自身を安全に確保するためにはこれでいいかどうか、ということを常に考えているためにしていることです。わかりやすく言えば、利害に近い状態で、これは損か得かと言ってもいいと思いますが、基本的には自分のボディが安全に管理できるかどうか、という確認をしているわけです。

ですから、「本当はこうした方がいい」という情報が入ってきているのに、「今の社会の仕組みの中で自分自身が安全であるためにはどうだろうか」、というような判断をする。そういう時はいつも顕在意識がコントロールしているのです。

そして、人間が何かを考えて行動する、決心をするという時、顕在意識を使っていない時には「直観」「閃き」が起きている。その「直観」「閃き」のほうが、どうやら

第二章　「波動」と現代地球文化

本当の「クリエーション」「創造」に近いのではないか。また、人間もテレビやラジオと同じように、周波数を変換して、自分で受振、発振して同調できる機能を皆が持ち合わせているのに、それを使っていないだけなのではないか、ということも感じました。

もし可能であれば、「直観」「閃き」がいつでもどこでも連続的に得られれば、これは「創造」「クリエーション」の連続であって、すばらしいことではないかということになりました。

生き方を変えたら宇宙からの情報が入ってきた

そこで妹が、それをデザインやファイン・アートの分野で、例えばあるテーマを決めてその情報が入ってくるかどうか、そしてそれがそのように表現されるかどうかを調べ始めました。一歩遅れて私は、それをできれば今の文化のベースになっている科学的な解釈で理解できるような形で情報が入ってほしい、ということで研究を始め

ました。できるだけ科学的に説明できる状態であれば、実用、応用化の道具として機械を作らなくとも、人間自身がそういう生き方をすればいいわけです。

それができるかどうか、実際にトライをして始めるというステップがあったので、妹の方は非常に行動的な生き方をしていましたので、即、「じゃ、やってみよう」と、テーマを決めてはスケッチブックを持ち、サインペンとか鉛筆でどういうふうに表現されるか、わけのわからないものを描き始めました。

「波動」で宇宙から情報が入ってくるならば、「自分でそう思った」ということは、意識として発振したわけです。また考え方としては、こういうテーマでこういうテーマのものを描こうと思う、それをどういうふうに表現したらいいかと思うわけです。それを私と妹は、「プログラムして発振した」というふうに解釈していたわけです。

その結果、何を描いているのか全然わからない。最初の段階は、五枚、十枚描いてみても、何か手応えのある表現ができたという感じにはならないわけです。

そういう状態が何日か続いていたのですが、何か入ってきて感じたら、とにかくそれを示すということをやっているうちに、約二カ月くらいたった頃、手応えがあって

第二章　「波動」と現代地球文化

何か手が動かされるという感じになり、そういうふうに描けてしまうという状態が妹に起き始めたのです。

「情報が入ってきて、そういうことができるんだ」と「決心」してから、日にちはそんなに経っていませんでした。ただそのわずかな感じで描き出したものが、具体的にプログラムしたこと自体を表現しているかどうかについては、ファイン・アートとかデザインでは確認できないわけです。それこそ主観で判断すれば、理解の仕方はいろいろ違うからです。また、実際にそういう情報が入ってきたかどうか、それが正解かどうかわからないわけです。

そこでそれを確認できるような方法が何かないか、物理的に目で見てわかるような方法はないか、ということになりました。

物理的現象が起きていることの証明

今の地球の文化というのは、とにかく目で見ることが基本になっていますから、描

いた図の上に何か置いて、目で見て明らかに変化したことがわかるような状態が、もし起きれば、物理的現象が起きたということになります。要するに目的にかなった情報が入ってきて、そういう図を描いて表現をした、何か大きなエネルギーが入ってきて変化をさせた、ということをある程度確認できるわけです。

そのようなことができないだろうかと妹がやってみた方法は、貴金属の輝きや透明度で確認するやり方でした。オパールとか真珠とかダイヤとか、そういうものの曇っているものを対象に、それらが「調和がとれて輝きを増し、自然の状態で本来輝いていたものなら輝いてくれるように」というふうに意識をして、情報が入ってくるのを待ちました。そうしてしばらくすると、「何だかわからないけどこう描けてしまう」と言って図を描いたのです。その図の上に貴金属を置いて何日かたつと、曇っていたものが明らかに光り出したのです。中が不透明で見えなかったようなオパールなどが、向こう側が透き通って見えてくる。こうして目で見て明らかに物理的変化が起きているのがわかったのです。

この経験で妹はかなり確信を持ちましたし、私も明らかに物理的現象を起こしてい

第二章　「波動」と現代地球文化

るということで、これは何か大変な振動波がエネルギーとして働いているのだと確信できました。それが分子レベルか、原子レベルか、あるいは原子核の中のレベルかはわかりませんが、とにかくそういう振動波が、エネルギーとして変化を引き起こしているのだと思ったのです。

科学的な資料収集の試み

　それから三年くらい夢中になって、妹はどんどん描き続けました。私の方は、プログラムしたものがそのまま情報で入るのであれば、できるだけ科学的にも資料を集めて整理していきたいというふうに思い、妹にたくさん質問をし始めたのです。妹が絵を描く際に決めるテーマの代わりに、私が片っ端から科学的な質問をし始めたのです。そのため、私は、できるだけその時期の最先端の情報が書いてある本を書店で見つけては読みあさりました。医学でも化学でも物理学でも、とにかくその分野でその時最先端の情報はこういうことだ、その先はどうなるのか、その辺のこと

をどんどん質問していったわけです。

例えば癌細胞の癌ウィルスというのはどういう状態で、エネルギーはどういうふうな状態になっているか、そしてもし抗癌剤を使ったら、どういうふうにそのエネルギーが変化するか、そういうわけのわからない質問をするのですが、妹は即座にその答えを描いてしまうのです。その描いてしまっている答えがあっているかどうかはわかりません。けれども不思議な方法を使って、片っ端から解答を描いていくんですね。その描かれていく符号が、医学や化学や物理学などのいろいろな分野の質問をしても、共通のものが何カ所もたくさん出てくるわけです（図表2-1～3参照）。

それらを、その時の顕在意識で自分で整理していけば、いずれは内容がわかるだろうと思って、何十枚、何百枚と描かれたものを何年もためていろいろ推理、推測をしたのですが、わからない状態でした。

第二章　「波動」と現代地球文化

図表２－１

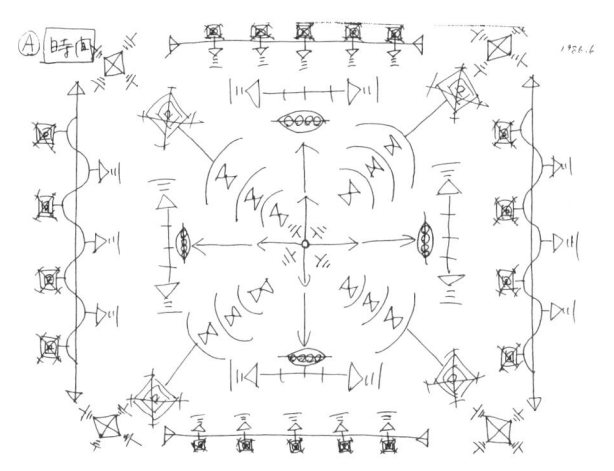

宇宙人の時間の定義

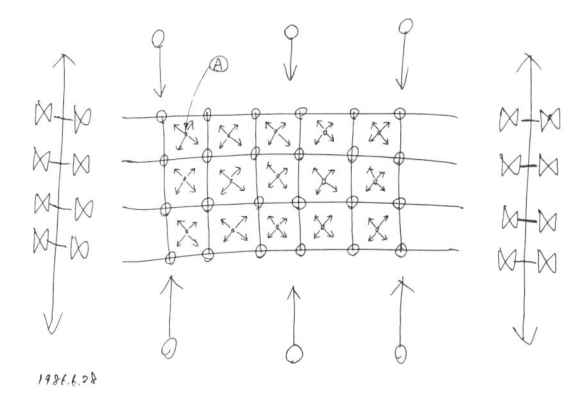

1986.6.28

物理学分野

図表2－2

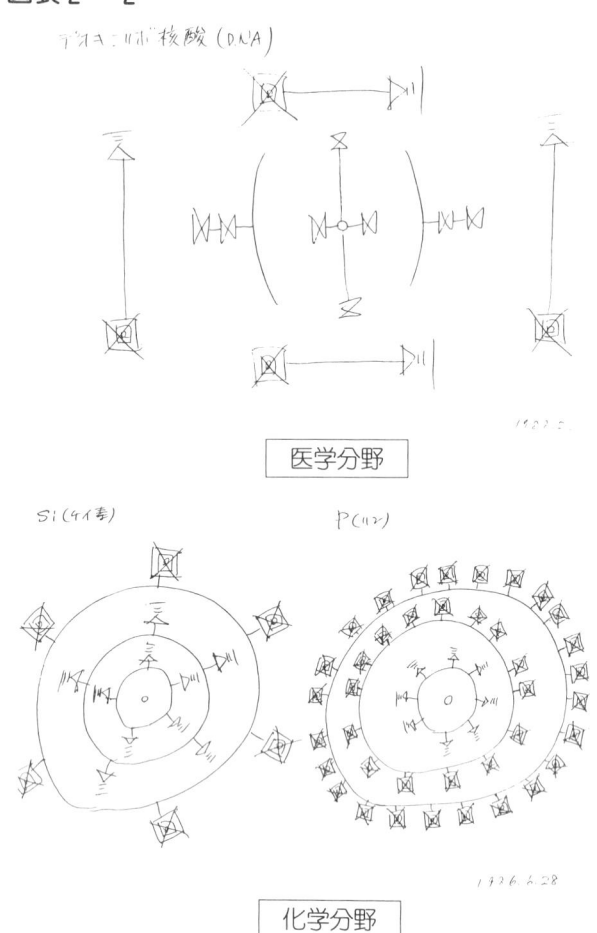

デオキシリボ核酸（DNA）

医学分野

Si（ケイ素）　　P（リン）

化学分野

第二章　「波動」と現代地球文化

図表2−3

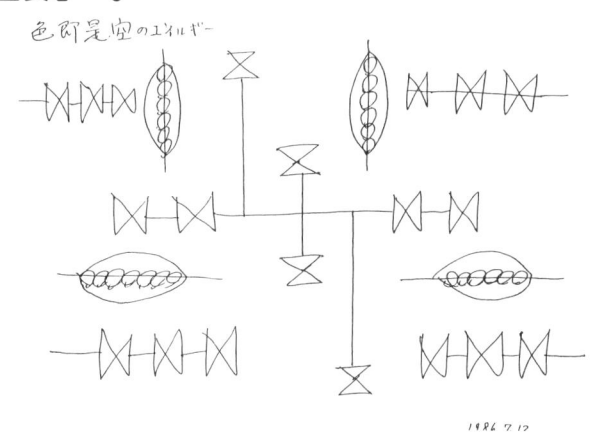

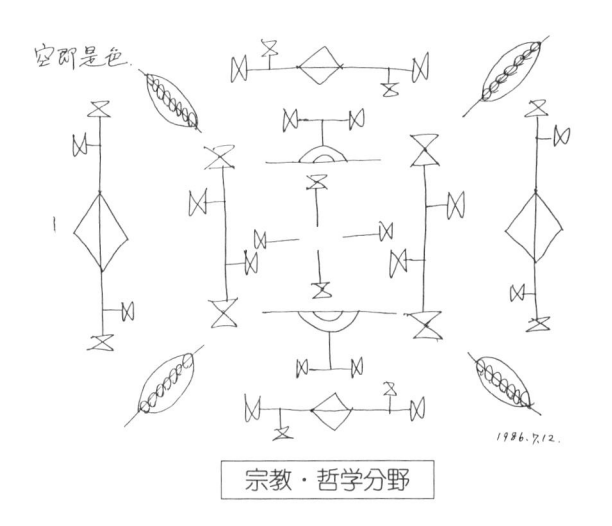

色即是空のエネルギー

1986.7.12

空即是色.

1986.7.12.

宗教・哲学分野

全然知らないことでもわかってしまう不思議

その頃、電子工学の権威者の一人である関英男博士が、数年前に始められたサイ科学会というのがあって、私と妹はサイ科学会に入り、参加して、科学的にどういうふうに理解できるかいろいろ確かめようとしてはめようとしたら、到底理解できないことはわかっていました。

しかしサイ科学会は、海外からもいろいろ不思議な能力のある方を招いたり、そういったことを研究しているスタンフォード研究所の電子工学のカウツ博士などをお呼びして、確かめたり調べたりすることを繰り返しやっていましたので、その時期は一緒に参加して、妹の描いた図に関しても調べていただいたりしていました。けれども結局わからなかったのです。それが今から七、八年前のことです。

ただともかく、不思議なことに、妹が全然知らないこと、それがどんなことでも、質問をすれば、「ちょっと待って」と言っている瞬間に、「それはこうだ」というふう

第二章 「波動」と現代地球文化

に描いてしまうのです。そういうことを繰り返し行いました。それが、合っているかどうかはわからなかったのですが、地球でわかっていないようなことでも、簡単にすらすらと描いて説明をするわけです。

しかも、目で見てわかるものの場合は、物理的現象だけは起きているわけで、チーズとかチョコレートといったものを図の上に乗せても、明らかに味もまろやかになったり、辛すぎるものは適度な味になったりするのです。チーズやチョコレートは、図の上に置いてある方が速く溶けるのです。柔らかくなって溶けていくのです。そのような違いが明らかに起きていたのです。

空間の「波動」の情報を求めて

このように妹が実際に行動をとり出しても、私はまだ距離をおいていました。

客観的にデータを整理しながらも、アートであれば直観で描くことも可能かもしれないけれど、自分のやっている建築は法律や構造や予算等、現実の制約がたくさんあ

るから無理だと決めつけていたのです。けれども自分で確かめるためにはやはり体験してみよう、実体験をしないとどうも実感がわかない、整理の仕方も何か納得がいかない、ということで主体的に始めることにしたのです。

まず立体で、建築の空間が設計できるように情報が入るようになれば、一番ありがたいと思いました。

建築の空間というのは、何もないところに形態を創って、内部と外部という空間をとにかく生んでしまうわけです。しかし空間をいろいろな形である形態に仕切ってしまうということは、人間が五感で感じる感じないは別として、エネルギーが変化しているはずです。

この変化しているエネルギーがどういう状態になっているかについては、この何千年もの間、創った建築家は誰もその責任をとっていないのです。わからないからとれないのです。

建築の世界においては、空間の本質が何なのかについて、誰も全く追究していないというと語弊がありますが、基本的にはほとんどが演出を追究しているわけです。つ

第二章 「波動」と現代地球文化

まり、機能などについての研究は当然しています。また、どういうふうにしたらどういう魅力的な効果があって、みんながいわゆる感動をしてくれるかという意味での演出の効果を期待し、自我を中心に観念的な設計をするのです。

しかし空間の本質としてそこに存在する動物、植物、鉱物等、あらゆるものがどのように空間的に変化をして、その結果どういう影響を受けているかということについては、誰も責任をとっていないのです。

とにかく建築は、地球上で人間が作り出しているものの中で、最も膨大なエネルギーを使い、そこに投入しながら地球の表面をそっくり中覆っているわけです。ですから、そのエネルギーはあらゆることに影響を与えているはずなのですが、それにもかかわらず、どのようないい影響、悪い影響を与えているかについては、何も確かめられないまま作り続けられているのです。

そこで本質的に空間とは何なのか。その頃はたぶん「波動」だろうと思っていましたので、建築によって作った空間の振動波が、できれば人間にとっても動物や植物や鉱物にとっても調和のとれたすばらしい効果が生まれるような、そんな「波動」が、

どのようにしたら、どのような形態を創ったら生まれるのかがわかれば、という気持ちがずっとあったのです。ですから、そこからプログラムしてみようと思って始めました。

どのようにしたら自分の周波数変換ができるか

情報を得る時、私としてはできるだけ科学的に、できればデジタルに入ってきた方がいい。プロポーションが明確になるので、寸法もちゃんと数字で入ってきた方がいいのです。それから形態については、できるだけ平面とか立体とか断面の情報も入る方がありがたいと思いましたので、立体で情報が入るようにプログラムしたわけです。

「プログラム」というのは、深く意識をして「こういうものを」というように、こちらで気持ちを整えておいて発振するということをする行為です。

人間にもテレビやラジオといった道具と同じような機能があるので、「直観」や「閃

第二章　「波動」と現代地球文化

き」が起きるのです。それを使いこなしていないだけなのだから、使いこなせばいいわけです。それにはどうしたらよいか……。

おそらく人間は周波数をいろいろ変換してやっているはずで、顕在意識はいつも一定したある範囲の周波数を使っているのだろう、そして「直観」「閃き」で入ってきた状態で、クリエイティブなすばらしいものが何か浮かぶのではないかと思いました。

またアイデアが生まれるというのは、違う周波数で何かを発振し、同調してそういう現象が起きているのであって、それが「直観」「閃き」かもしれない。あるいは顕在意識そのものが悪くて、邪魔をしているのかもしれないとその時は思ったりもしした。

それであれば、顕在意識を働かせない状態にすれば必ず「直観」が入ってくるのではないか。ともかく、どのようにしたら周波数変換ができるのだろうかという方法がある。瞑想というのは多分、周波数変換をして顕在意識を整え、ふだんと違った周波数になっているのだと直観的に思いました。そうすると自然が全然違っ

た内容で理解されて、違った能力が生まれるのではないか——そのようなことがわかっていて何千年もの間にいろいろな地域で、瞑想をする習慣が形成されたのでしょう。

ですからその瞑想をとりあえずやってみようということで、実は三年ばかり真剣に瞑想をやったことがあります。一年間、必死にやってみてわかったことは、瞑想している時にふだん顕在意識で経験していることとは確かに違う状況が起きてくるということでした。

瞑想していると、不思議な状況が起きてきて、顕在意識はそのままの状態でありながら、あらゆることがふだんの感覚とかなり違った至福に満ちた安らぎを伴う、時にはまばゆい光の中につつまれた精妙な形で伝わってくる——三年間そのような状況を体験するのと並行して、私自身にも先述したような形でプログラムした情報が入ってくるか試してみることにしました。

48

「描かされている」感覚が起きてくる

妹が始めてからわかり、妹自身も繰り返し言っていたことは、「誰でも必ずできる」ということです。私も間違いなくそうだろうという感じはわかっていたので、ともかく実行しようとまずトライしてみました。そ れを実際にやっていなかったので、一番最初に描いたのは次のようなテーマでした。

このテーマを行う前に既にあったのは妹の図です。その妹の描いた図は、イヤリングならイヤリングをその上に乗せると三、四日くらいで大きく変化をして輝きが変わったり、ずっと使わずにいて黒くなってしまった銀を置くと、何もしないのに二、三日で黒い色がとれ、ピカピカに白く光ってしまうという現象を起こしていた図です。

私は、そういう現象がより短時間に促進されるような形態が、情報で入ってくるようにプログラムしました。そして、自然の法則にかなった調和のとれた振動波を増幅し、以前は何日かかかって光り輝く状態になっていたものを、よりはやく速やかにそ

ういう効果が生まれるような増幅装置の形態を見つけてみよう、ということでスケッチしたわけです。

最初はもちろんそんな簡単に出てくるわけがないのですが、わけのわからない図を私も何十枚か描きました。そして突然、何か描かされるという感じがして描いたものが、図表3のような図だったのです。

まず楕円です。意識に入ってくるのは楕円という感じで、それはみんなこのようになっているという意識だったのです。手が何となく動いて、その楕円が何か回転運動をしていることを示している。意識でもそのように感じる。その時は明確にはわからなかったんですが、今ではこれはクォーク——正確には宇宙語で〈CAU〉（カゥ）と言いますが——、というエネルギーが——これは今の地球の物理学でいうクォークとは少し違うんですが——、回転運動をして、楕円の立体を作っているということがはっきりわかっています。

要するに何かが回転をして楕円の立体にしているのです。これはちょっとラグビー・ボールをつぶしたような感じで、お米の粒をイメージしていただければいいので

図表3　増幅装置の形態スケッチ

すが、そういうものが、ある回転運動をし、その状態を創っているエネルギーがある。それが六つある。それらは回転運動をしている球体になるような、ものすごい速度のものがあるという感じで、六つの楕円の中心に円を描いたのです。

これによって全体が一体化していると、そういう情報が入ってきたのです。これは情報が入ってきたと言っても、何だかそういう感じで描いたらいいんだということで、とりあえず描いたわけです。

最初のプログラムは、デジタルにも情報を得るということでしたから、さらにこの寸法がわからないかな、このプロポーションがわからないかな、という意識をもって待っていました。すると、最初はわからなかったのですが、何か数字が出そうなのです。じゃあ比率はどうかなと思って、何対何というふうに思って待っている感じを繰り返し、繰り返しやっていました。するとこれこれの比は何対何だっていう感じが数字で描けるような気もするし、何となくこれは何対何だなという直観が閃いたので、それをそのまま正確なプロポーションで描いただけです。これを立体化して模型

第二章 「波動」と現代地球文化

図表4　調和の増幅装置

を作るつもりだったので、それを正式に描いたものが、図表4の図です。

描いた図からエネルギーが出ていた

次に、これの立体的な模型を作ろうと思って平面図を起こしたのです。描いた時は小さな平断面だったのですが、それをコピーでA3サイズにしたわけです。するとA3のコピーをしている時にフワッとこう何かエネルギーを感じたのです。私はあまりそういうのを感じる方ではないのですが、妹はわりと感じていまして、妹に言ったらやはり何か出ているということで、その当時友人やサイ科学会の関係の方でいろいろそういうことが見えたり感じたりする方がいましたからお見せしましたら、何かすごいエネルギーが出ている、見えるという方がいらしたのです。

そこでとりあえず、平面図のままで試してみようということで、これを妹の絵の下に敷いたのです。妹の絵のコピーをつくって、これを敷いたものと敷かないものとの比較ができるようにし、チーズやチョコレートを切って置いてみたり、金や銀を置い

第二章　「波動」と現代地球文化

てみたりして比較してみたのです。そうすると明らかに、この図の上に置いたものの方が変化が速いのです。具体的にその違いがでてきたのです。

私が直接調べたのではありませんが、妹がチョコレートのあるメーカーさんに依頼されて、この上に置いた場合のチョコレートと置いていない場合のチョコレートとで、溶け具合が違うのを確かめてもらったことがあります。コンピューターで解析すると、温度の変化で熱の状態が変わっていくような表示が出るんですが、色の状態が違うことによって明らかに私の描いた図と組み合わさった絵の方が変化が早く始まり、速く進むということがわかったようです。

とにかく目的としていた増幅装置としての効果が、立体ではないのですが、平面のコピーでも出たということがわかりました。

その後何年かの間に、大勢の方に確かめて頂けるようにそれこそ何千枚もお配りしました。その方たちからいろいろな形でご報告を頂いていますので、明らかにさまざまな効果があり、物理的現象を起こしていることがわかってきたわけです。

本質を研究されないまま有効利用されている「波動」

地球上の人間というのは全て、私自身も皆さんも全く同じ装置、機能を持っているわけです。今の文化は道具を作り出して、人間にとって都合のいい便利なものをたくさん研究し、開発し、明らかに私どもはその恩恵を受けて生活しているわけです。しかしその文化が進んでくる過程で、「本質的なもの」は何なのかを研究する姿勢が非常におろそかになってしまった。その結果、「人間」にとって都合がよく、便利なものを研究、開発する形で成り立っている文化になってしまったのです。

「波動」ということについても、それは全く同じです。本来の「波動」の「本質的なもの」の性質を研究すれば、地球の文化はもっとバイタリティがあって、充分に「本質的」な理解ができるはずです。

現在はある程度まで「波動」の性質を理解して、その性質の一部を実用、応用化することで、人間にとって非常に都合のよいものを道具として生み出しています。日常

第二章 「波動」と現代地球文化

生活の中にはテレビとかラジオとか電話とか無線とかという形で、体の一部に近いくらいまでのものが現実には行きわたっています。

例えばテレビ、ラジオという道具を開発するのにあたっては、「波動」の性質の中の電磁波というものが地球でも非常によく理解されています。「波動」の一部分を有効に利用する形で、これは生まれてきたのです。

「波動」がどれだけ生活の中に溶け込み、現実に道具としていろいろなものに使われているかは、日常生活の周りのものを調べればわかります。今の地球の文化で理解し、解釈している「波動」は、何らかの形でその性質が利用されて、さまざまな道具として作られているのがわかります。

しかし残念なことに、「波動」そのものの本質とは何なのかが理解されていません。例えば物質の生成や物質の元を追究する過程でも、基本的には粒子として捉える姿勢があります。しかしそれでは説明しきれない状態になってきて、現在では量子力学という形であらゆるものが振動体で回転運動をしており、波動であり範囲でとらえるという見方も出てきているのです。

全てを現象でとらえようとする現代地球文化

　地球の文化は「目で見て確かめる」という方法を基本的に行っていますから、その延長線で自然科学も同じように、ミクロのものを調べようとする時には、顕微鏡という道具を作り、光をあててものを見ようとするわけです。

　宇宙からの情報では、光は厳密に言いますと、電磁波と物質波のある周波数をもった複合振動波です。

　ですから光をあてるということは、そのエネルギーを加えてしまうことになります。このように光をあててものを見ようとすると、本当の姿ではないものになってしまう、という状態が起きてしまうのです。矛盾が起きるわけです。

　そういうことはマクロに対して、天文学でも同じです。望遠鏡で星を見るのも、肉眼では見えないので道具を作って拡大して見るという形をとります。それはやはり、

第二章 「波動」と現代地球文化

光を通じ、人間の眼の構造で映像化して理解するということを前提にしています。

このように、現代地球文化は宇宙の仕組みを全て現象でとらえています。

例えば、水は電気分解という方法でエネルギーを加えて水素と酸素が発生したからH_2Oであると理解してしまったり、基本粒子を確認するために、陽子と反陽子に加速度を加えて高速にして衝突をさせ、生じた現象から推理しています。これでは残念ながら、相変わらず莫大な費用を掛けて、物理学の素粒子論の世界ではいまだに膨大な費用を掛けて、基本粒子を確認するために、陽子と反陽子に加速度を加えて高速にしてエネルギーを加えて現象を起こし構成要素を粒子として理解しようとしており、全ての現象を本来の姿の波動で受けとめる準備ができておりません。

「波動」のエネルギーそのものが、宇宙の全ての現象を起こしているということを理解しない限り、最終的に中性子と陽子がどういうものであるか、「意識」と「意志」との関係も、今の文化の状態ですと辿り着けない状態なのです。

要するに現代文化は、宇宙の全ての現象を私達の五感をもとにして理解しようとしています。

ところが五感というものも全て波動であり、しかもその周波数は大変低い範囲で限

定されていることが図表5からもおわかりいただけると思います。即ち、例えばこの文化で一番重要視している〈目で見て確認する〉ということは次のようなことを意味しています。

宇宙的に見て現代地球文化のレベルはかなり低い

可視光線といわれる電磁波と磁気波の複合波で、$10^{14}Hz〜10^{15}Hz$という狭い周波数範囲のみを人間の目はキャッチして映像化し、宇宙の仕組みを理解しようとしていますので、それ以外の周波数は、ミクロからマクロまで無限大と言えるほど存在していますが、全く感知できない状態です。しかも現代地球文化では、波動の形態は物質波・電磁波・磁気波の3種類のほんの一部しか理解できていませんが、宇宙には10^{85}種類以上の形態が存在し、それぞれ役割が異なるとのことです。

同様に耳で聞くという音声の周波数は、$10^2Hz〜10^4Hz$の範囲くらいが人間にとって限界のようですから、他の動物や昆虫や植物、鉱物が受振・発振している振動波は全

第二章 「波動」と現代地球文化

図表5　ものの大きさと電磁波の波長

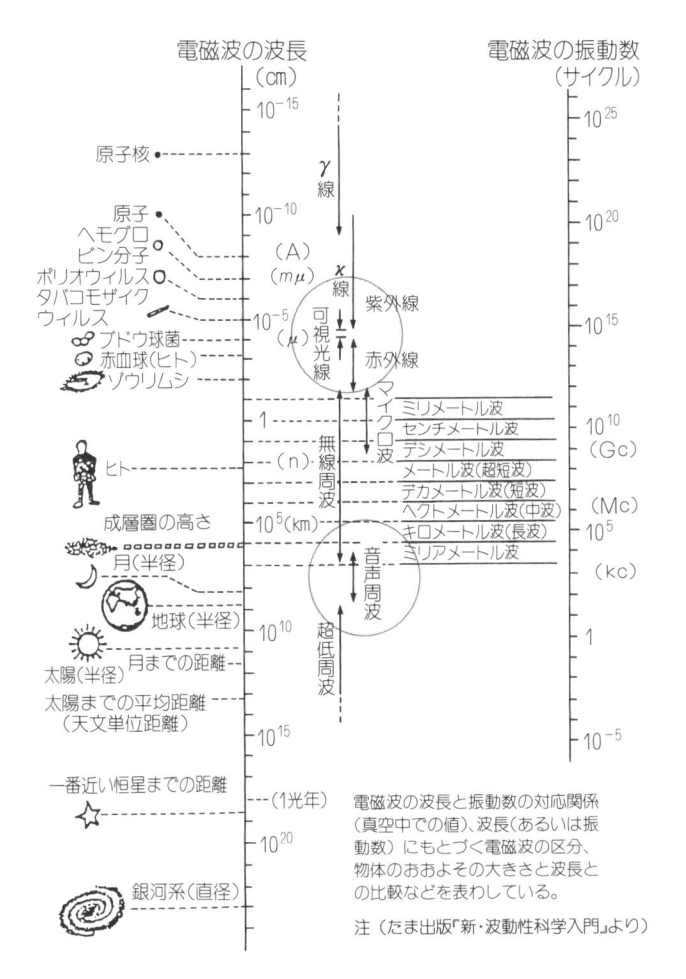

電磁波の波長　　　　　　　電磁波の振動数
(cm)　　　　　　　　　　　(サイクル)

原子核
原子
ヘモグロビン分子
ポリオウィルス
タバコモザイクウィルス
ブドウ球菌
赤血球(ヒト)
ゾウリムシ

γ線
X線
紫外線
可視光線
赤外線
マイクロ波
ミリメートル波
センチメートル波
デシメートル波
メートル波(超短波)
デカメートル波(短波)
ヘクトメートル波(中波)
キロメートル波(長波)
ミリアメートル波
音声周波
超低周波

ヒト
成層圏の高さ
月(半径)
地球(半径)
太陽(半径)
月までの距離
太陽までの平均距離
(天文単位距離)
一番近い恒星までの距離　(1光年)
銀河系(直径)

電磁波の波長と振動数の対応関係
(真空中での値)、波長(あるいは振動数)にもとづく電磁波の区分、物体のおおよその大きさと波長との比較などを表わしている。

注(たま出版『新・波動性科学入門』より)

く理解できません。さらに宇宙からの情報では、触覚は物質波と磁気波の複合波で$10^{24}Hz$前後だけですし、臭覚はやはり物質波と〈FIEGIOK〉波の複合波で、$10^{15}Hz$～$10^{22}Hz$までが限界だそうです。

いずれにしても宇宙の波動の種類からすると、現代地球文化のレベルは、象の背中の毛一本に触れて「象とはこういう存在物だ！」と述べている段階であることは事実のようです。

現在、筑波研究学園都市の最先端の科学者の方にも共鳴してくださる方がいます。そういう方とこういう情報を基にして、積極的に実験の協力をしていただいて、いろいろ確認をしてゆきたいと思っています。

いずれにしてもこれは平面であり、まだ立体ではないので、エネルギーとしては非常に弱いのです。しかしこれは、特別な能力が何もない人にでも直観で情報を得るということが共通して起きるのだということを自分で明確に実感できた最初の図だったのです。

これが何だったのか、その時は意味がわからなかったのですが、とにかく調和のと

第二章 「波動」と現代地球文化

れたエネルギーが生まれ、それをより増幅してくれるようなエネルギー振動波が生まれてくるのを目的にして情報を得たら、こういう立体だということなのです。そしてそれが実際に現実に目で見てその効果がわかるような変化を出してくれたというわけです。

第三章 中性子・陽子・電子の構造と性質

中性子・陽子・電子の形態を知ろう

　第二章で述べたように「直観」によって情報が入ってくるのがわかった以上、私は地球の今の文化の性質から言って情報をできるだけ科学的に得て、それをできるだけ科学的に役立てたいということを前提にしました。そして、次々に原子の構造、あるいは原子核、電子、中性子、陽子、といったものがどういう形態、エネルギー、振動波などをもっているかを情報で得ようとしてスケッチを描き始めました。

　そうするとおもしろいことが起こりました。図表6はその時のスケッチですが、「中性子」としてプログラムして情報を得たものの図が、第二章で述べた調和のとれたエネルギーを増幅させる図〈図表3〉と全く同じものとして描けたのです。細かいことは後から段々わかってきたのですが、基本的には同じ図を描いたのです。周波数が10^{22}Hzとか、波長が10^{-20}cmとか、回転の速度がどれだけの速度とか、そういう情報がデジタルに段々入ってきているのですが、基本としては、この最初に描いた形態

第三章　中性子・陽子・電子の構造と性質

図表6　中性子（ODEO）の形態

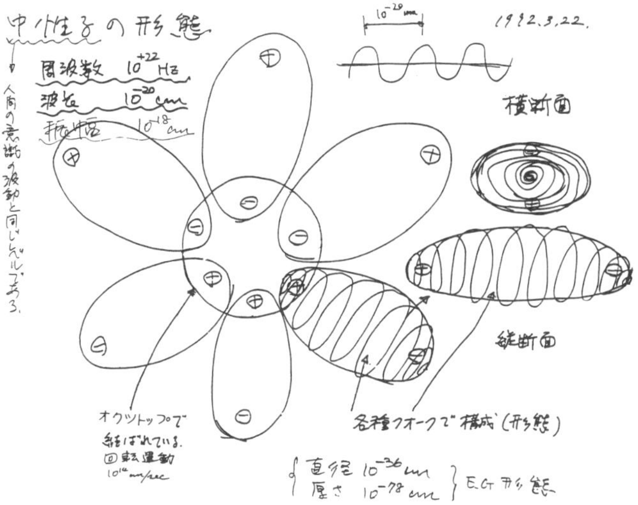

が中性子だったことがわかったのです。

つまり、中性子が自然の法則にかなって調和のとれた振動波を生み、それをより増幅するという働きをしてくれているということなのです。

この図は模型のための平面図ですが、立体を作ったら大変なエネルギーの振動波が生まれるだろうという情報は入ってきています。

中性子がどういう形態でどういう働きをするのかということはわかったので、それならば、原子核の中の陽子はどういう形態かということを調べました。すると、陽子というのは今度は図表7のような形だったのです。

陽子というのは楕円の立体なんですね。結局、中性子も陽子も楕円の立体という点ではかなり共通しているのです。同じではないのですが、相似に近いのです。中性子は、楕円の立体の中が八層になって（CAU）と（OCTSTOP）がスパイラルに回転運動しているものが六つ集まって成り立っているのですが、陽子は楕円の立体の一つが八層になってやはり（CAU）と（OCTSTOP）がスパイラルに回転運動しているだけのもので成り立っている。大きさは違いますが、形態はそういうものなのです。

第三章　中性子・陽子・電子の構造と性質

図表7　陽子（TOBE）の形態

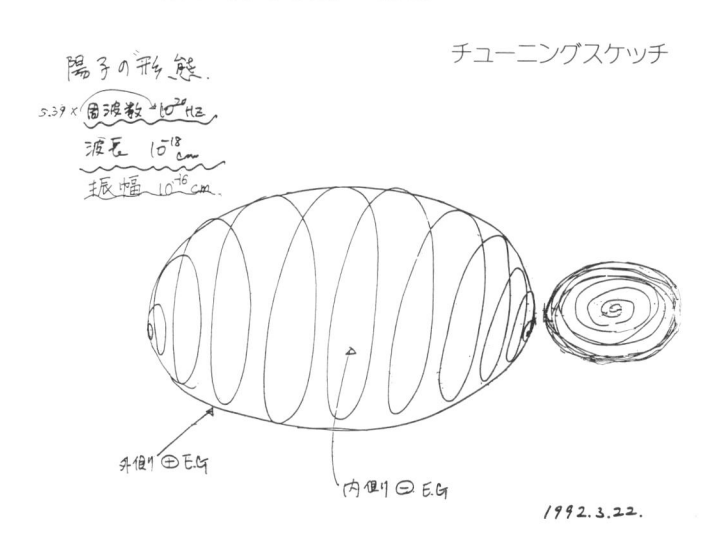

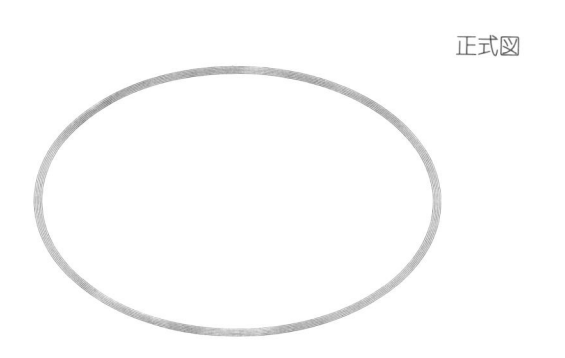

チューニングスケッチ

陽子の形態.
$5.39 \times$ 周波数 $10^{27}Hz$.
波長 10^{-18} cm
振幅 10^{-16} cm

外側 ⊕ E.G
内側 ⊖ E.G

1992.3.22.

正式図

中性子と陽子の形態がこういうものだということや、陽子の周波数が10²⁰Hzといったデジタルな情報も入ってきたことから、今度はさらに電子とはどういうものかを調べました。電子は図表8のような形をしています。

電子は、クォークのエネルギーが図のように14.5回転して入ってきて、今度は反対に14.5回転して出ていきます。クォークのエネルギーが回転運動をしてスパイラルに右まわりに14.5回転して中心に向かい、中心から次に左回りに回転して出ていくものが、いわゆるマイナスの電荷の電子だということです。そして、左回りにスパイラルに14.5回転して中心に向かい、次に中心から右回りに回転して出ていくものを陽電子と言っています。このスパイラル運動をものすごい速度で繰り返し繰り返し行っているのが、電子だという情報だったのです。

現代の物理学が示しているモデルとかなり異なるモデルが明らかになったわけです（図表9参照）。そしてその後私は、さらに周波数を変換して高い情報を得ることで、このような構造的な物質の原形になっているもののエネルギーがどのような回転運動をし、振動波を生じているかなどが詳しくわかるようになりました。しかし、中性

第三章 中性子・陽子・電子の構造と性質

図表8 電子(CUNIEO)

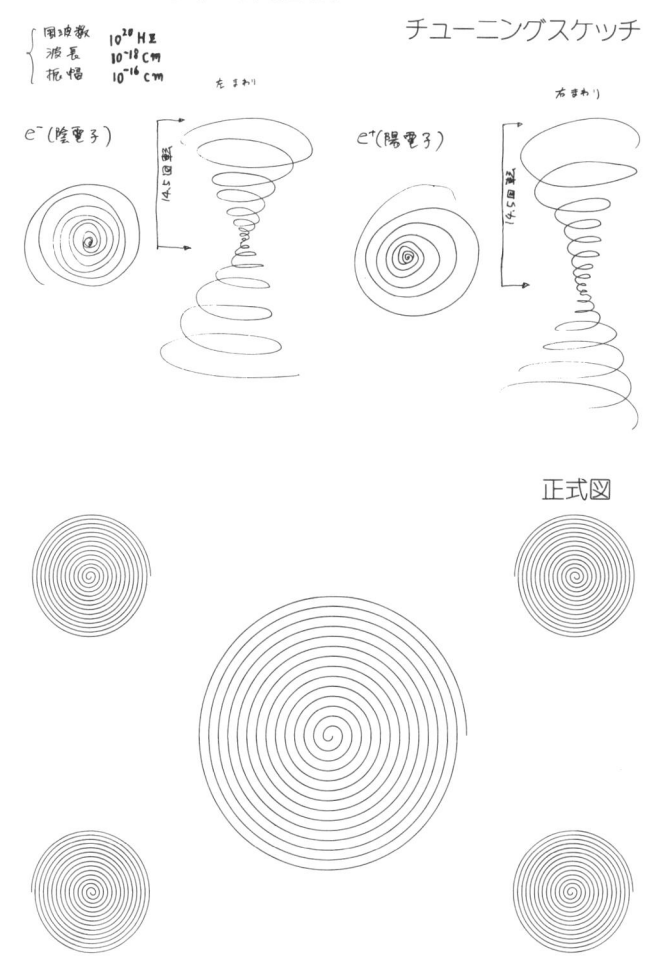

チューニングスケッチ

周波数 10^{20} Hz
波長 10^{-18} cm
振幅 10^{-16} cm

左まわり

e^-(陰電子)

14.5回転

右まわり

e^+(陽電子)

14回転

正式図

図表9　現代科学の原子構造概念図

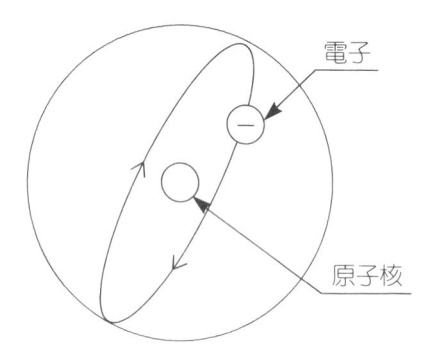

１９１３年ボーアが考えた水素原子モデル

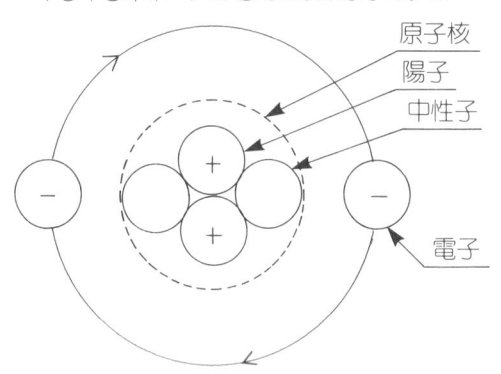

He（ヘリュウム）の原子核の構造

原子核の質量数　＝　陽子＋中性子
陽子の数　　　　＝　原子番号　＝　電子の数
（中性子の数　　＝　原子核の質量数－原子番号）

第三章　中性子・陽子・電子の構造と性質

図表10　アトム（ATOMH）

自然の法則に適って調和のとれた中性子、陽子、電子を組合せた原子（ATOMH）の図形、これは自然界の全ての存在物の調和をとる振動波を受発振しています。

子・陽子・原子核・電子・原子（図表10参照）などについての詳細な説明は、それだけで膨大な時間を必要としますので、ここでは省略し、次のテーマに進めさせていただきます。

人間の「意識」は中性子、「意志」は陽子だった

そこで今度は、人間の「意識」とか「意志」というものはどういうものなのか、これについても直観的に発振し、受振して同調するという方法で調べました。おそらく振動波で発振、受振しているのだから、人間の「意識」と「意志」にも具体的な形態があって、その振動波があるのだろうっということで情報を受振することにしたのです。そうすると、先ほどの図とやはり同じものだったのです。

人間の「意識とは何か」というテーマで受振しますと、中性子と同じものを描いてしまうのです。描き始めたら同じものだったので、びっくりしたのです。要するに中性子は「意識」だったのです。

第三章　中性子・陽子・電子の構造と性質

中性子が「意識」ということは大変なことです。あらゆる物質の元になっているものの、それは原子核であり、その中に中性子と陽子があるわけです。全ての存在物に原子核があって、中性子、陽子があり、そのうちの中性子が「意識」であるということは、どんなものも全部、「意識」で構成されているということになるわけです。これは見えない空気でもそうです。

それでは陽子は何か。今度は陽子について調べました。すると陽子は、「意志」だということでした。

ですから当初は、先に形の方がわかって自然界の役割の一部が先に伝わってきてしまったのですが、結果的に中性子が「意識」で、陽子が「意志」だというのです。

中性子＝意識＝調和
陽子＝意志＝愛

陽子は「意志」であると同時に、自然の法則の「愛」だという情報です。愛情では

なくて「愛」です。中性子の方は「意識」があって感情の役割があり、常に調和をとり続けます。

基本的に原子核は、中性子と陽子が結びついてでき上がっています。細かく言えば他に要素があるのですが、大まかに言えば大事な要素は中性子と陽子で、それは「意識」と「意志」が組み合わさってできているわけです。そのうちの「意志」という陽子は、自然の法則の「愛」だということで、「意識」の方は「情」が含まれているわけです。

ですから、原子核というのは、「意識」と「感情」、「意志」と「愛」が結びついて構成されている。即ち愛と調和が、全ての存在物の素になっている。これは地球上でいう全ての存在物です。

電子の役割を知ろう

これを厳密に定義しますと、存在物をどう言うかが宇宙では少し違ってしまいま

第三章　中性子・陽子・電子の構造と性質

す。少なくとも地球上で物体化していて人間が確認できるような存在物というのは、全部中性子と陽子で原子核を構成し、周りに電子を伴っています。

電子の役割というのは、現実化する役割です。電子は、地球上で今考えられている科学で意識されている内容とは、実際には大分違うようなのです。本質的にモジュラー・コーディネーター的な役割をしているものが電子らしいのです。

地球ではどちらかというと、電流は電子の流れのような解釈をして、直接エネルギーに関係しているように解釈されているようですが、電子そのもののエネルギーはいつもゼロの状態になっているという情報です。電子がなぜ14.5回転ずつ右回りしたり左回りするのかは、常にエネルギーが入ったり、出ていったりする状態を繰り返すことによって、エネルギー量がゼロになるようにしているということです。たぶん地球の物理学もいずれわかる時期が来ると思いますが、それには中性子が「意識」で、陽子が「意志」だということに気づかない限り無理だと思います。例えば電流というのは、電子はサブであり、基本的には中性子の移動なんですね（こんなことを言いますと地球の物理学者はそんな馬鹿なとおっしゃるかもしれませんが……）。

77

見えるものにも見えないものにも全てに「意識」と「意志」がある

本来は中性子と陽子が基本で、あらゆるものの主体になっているらしいのです。中性子が「意識」で、陽子が「意志」、そして、自然の法則の「愛」だということを物理学的に説明したらどうなるでしょう。

地球の物理学的な解釈の言葉で言えば、「時間と空間が完全に調和がとれて一体化した状態」で、その典型的な状態が楕円の立体であり、陽子はそれを示しているということです。例えば植物のいろいろな種類の種は、かなり陽子の形態に近いのです。種は時間と空間がプログラムされていて、もちろん常に意志も含まれているわけです。

例えば、蓮の花は何百年たっても状況がちゃんと備われば、いつでも桜になったり、梅になったりしないで間違いなくきちっと蓮の花を咲かせます。その種が、花を咲かせるべき時間と空間をきちんとプログラムし、コントロールしているわけです。

第三章　中性子・陽子・電子の構造と性質

ですから陽子に非常に近いものを感じるのです。

陽子だけではなく、もちろん中性子も含まれて両方で成り立っているわけですが、種のあの形態自体がかなり意味があると思うのです。お米の粒などは典型的な調和のとれた形態をしています。これも意味があると思います。

中性子が「意識」で、陽子が「意志」だということについてですが、目に見えないものにも見えるものにも全てに「意識」と「意志」が存在している。宇宙の存在物というのは、空気も炭酸ガスも炭素も、窒素もアルゴンも、とにかく全て分子があり、原子があり、原子核、中性子、陽子があるのです。ということは、基本的に空気のある空間は「意識」と「意志」で詰まっているわけです。

クォークとは宇宙中に充満しているエネルギー

ではこの中性子とか陽子とか、あるいは電子は何からできているかというと、今の物理学では素粒子という形でクォークからできていることになっているのです。クォ

ークからできていることは確かなのですが、このクォークを中性子や陽子と同じように要素（素粒子）として考えてしまうと、まるで違った方向に行ってしまいます。今の地球の科学はそういう方向で推理していますから、要素としてとらえようとしています。しかし実際にはそうではなくて、クォークというのはエネルギーそのものだということなのです。実際にクォークを図で描きますと、図表11のように回転運動をしながら球体になっているエネルギーなんです。

先述したように、クォークとは、本当は宇宙語で（CAC）(カウ)と言います。そしてクォークという、図表11のような状態を作っている、この回転しているもの自体が物質です。地球ではまだわかっていません。(OCTSTOP)(オクットップ)という宇宙語で言うしかないのです。仮説にもなっていませんが、そういうオクットップという物質が回転運動をして、クォーク（CAC）というエネルギーを生み出している。これが宇宙中に充満しているというのです。回転半径は大変小さく、球体の大きさもものすごく小さなもので、$10^{-94}～{-54}$cmくらいです。非常に小さなものですから、地球上では測定は全く不可能なのでわからないのです。

80

第三章　中性子・陽子・電子の構造と性質

図表11　クオークの正式図

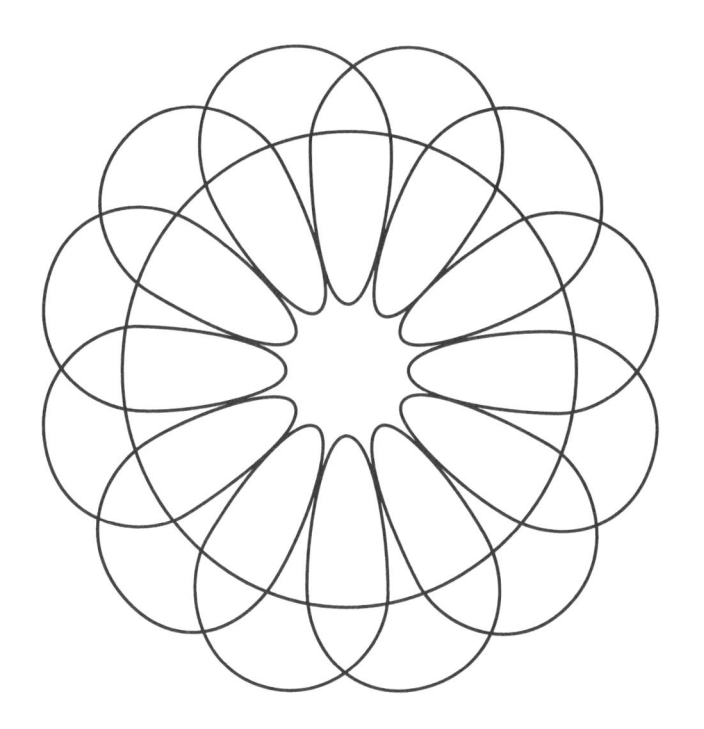

宇宙の仕組の成り立ちを理解しよう

要するに物質が回転運動をしてエネルギーを生み、エネルギーが回転運動をして物質になる。簡単に言いますと、宇宙の仕組はその繰り返しで成り立っています。しかもそれは第一段階目の水のエネルギーから始まって、第二段階目が空気のエネルギー、第三段階目が（COJA）エネルギー、第四段階目が（GELIS）のエネルギー、第五段階目がクォーク（CAU）のエネルギー、第六段階目……という具合に、全部で10^{25}段階くらいある（図表27参照）とのことですから、地球の科学では想像することさえ不可能かと思われます。

中性子についても先ほどの図表6のような形態自体、クォークのエネルギーが回転

第三章　中性子・陽子・電子の構造と性質

運動をしてそういう形態を作っているということなのです。回転運動をしているものは図表11のようなものだということです。これは空気であろうが、真空と言ってもこれで存在しているエネルギーはたくさんあるのですが、そういう宇宙の時空間全てがこれで埋め尽くされているのです。これは種類は10の83乗種類あります。回転運動と速度、形態と振動波はみんな違う状態で詰まっているというわけです。

間違った方向へ進んでいる現代のクォークの研究

前にも述べましたように、地球では何百億円、何千億円という莫大な費用をかけて、高エネルギー研究所というところがクォークの研究をしています。地中奥深いところに直径何キロというトンネルを作り、陽子ひとつを回転させて加速度を加えて陽子と反陽子をぶつけるのです。
「素粒子を見つけて出てきた素粒子がクォークの何とかだ」といった見つけ方を今現

在行っているわけですが、それで見つかったものが最近トップクォークと言われています。しかし、このトップクォークというのが、実際にはかなり違う方向へ研究が向かい出してしまっています。詳しくお話しすると長くなるので割愛しますが、とにかくそのような方法でクォークを見つけ出そうとしますと、10⁸種類もあるのですから永久に見つからないと言えるでしょう。それに強烈な加速度を加えて、エネルギーを加えてしまうわけですから、見つけたものは本来の姿ではないのです。

残念なことに地球の文化は、みなそうなのです。それが悪いということではなくて、自然を理解するステップとして止むを得ないのです。

現代地球文化がまず気づくべきこと

もう一度繰り返しますが、「水」を考えてもそうです。「水」というのはエネルギーであるということを、地球では本質的にはまだ理解できていません。
「本当の水」というのは「海の水」を意味します。宇宙の言葉でAQUA（アクア）と言いま

第三章　中性子・陽子・電子の構造と性質

す。例えば実験などで、「純粋な水」あるいは「超純水」という言い方をして、H_2Oと表していますが、電気分解をした水というのは、エネルギーを加えてしまうわけですから、本来の姿ではありません。また、もともと水素と酸素からできているのだ、というように解釈しようとすること自体無理なのです。電気分解して水素と酸素に分かれたから、それらからできているという解釈をしようとしているわけですが、基本的にエネルギーを加えたら本来の姿は見えません。

地球の文化は、宇宙の全部を「現象」で理解しようとし、「波動」で理解できていません。なにがなんでも現象であらゆるものを理解しようとするからわからないのです。病気でも病原菌でもみなそうです。少なくとも、本質が波動であって、波動、つまり振動波がいろいろな形で組み合わさって現象を起こしていることを理解できるようになるためには、まず次のようなことに気づく必要があります。

中性子と陽子という、原子核を構成している元になっているのは、クォークというエネルギーが回転運動をして図のような形態を作っている。そして、中性子、陽子自体も回転運動をしている。クォークのエネルギーの振動波というのは、中性子は中性

子の形態をもって振動波が生み出されているし、陽子は陽子で振動波が生み出されている。

そして中性子が実際に「意識」をし、それを調和の振動波として発振、受振する。また一方で、陽子が「意志」として愛の発振をし、その働きをする。その時は、クォークの回転運動によって作られた中性子、陽子の固有の形態自体が、また回転をしているわけです。

顕在意識が実際に働いているという状態は、原子核を構成している中性子と陽子が回転運動をしています。そういう状態の時に実は、普通、物質波と電磁波と磁気波を生み出しているのです。少し難しくなりますが、現代科学では、全く理解できない未知の一端を説明しますと、図表12のようになります。

自然界のあらゆる現象は「波動」の組合わせ

地球上で物質波、電磁波、磁気波というものが現象として存在していることは、地

第三章　中性子・陽子・電子の構造と性質

図表12

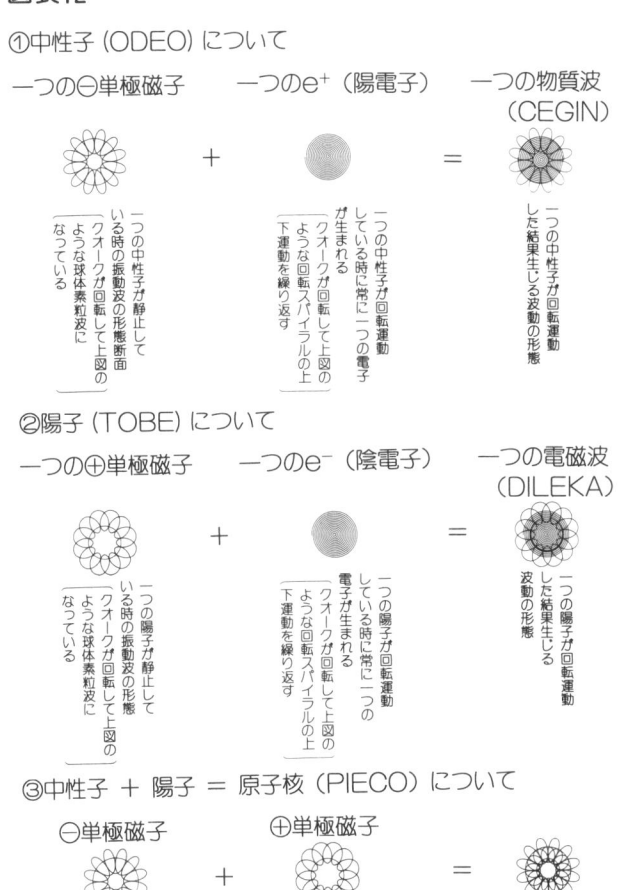

①中性子（ODEO）について

一つの⊖単極磁子　　一つのe⁺（陽電子）　　一つの物質波
　　　　　　　　　　　　　　　　　　　　　　　　（CEGIN）

一つの中性子が静止している時の振動波の形態断面クォークが回転して上図のような球体素粒波になっている

＋

一つの中性子が回転運動している時に常に一つの電子が生まれるクォークが回転してスパイラルの上下運動を繰り返す

＝

一つの中性子が回転運動した結果生じる波動の形態

②陽子（TOBE）について

一つの⊕単極磁子　　一つのe⁻（陰電子）　　一つの電磁波
　　　　　　　　　　　　　　　　　　　　　　　　（DILEKA）

一つの陽子が静止している時の振動波の形態クォークが回転して上図のような球体素粒波になっている

＋

一つの陽子が回転運動している時に常に一つの電子が生まれるクォークが回転してスパイラルの上下運動を繰り返す

＝

一つの陽子が回転運動した結果生じる波動の形態

③中性子 ＋ 陽子 ＝ 原子核（PIECO）について

⊖単極磁子　　　　　⊕単極磁子

一つの静止中性子の　　　一つの静止陽子の
振動波　　　　　　　　　振動波

＋　　　　　　　　　　＝

一つの磁気波
（KEGOT）

球の科学、文化でもわかっているわけです。ただ基本的に、デカルトさん以来のこの文化の自然科学というのは「客観的に」というとらえ方をしようとしていますので、その存在はわかっていても「意識」と「意志」というものは無視してしまいます。あるいは理解しようとしてはいません。また、「波動」を理解するための本質的な追究をしていません。

自然界では、「波動」（振動波）が組み合わさることによってあらゆる現象を起こしています。時空間そのものが存在するのも、「波動」の組み合わせによりますし、全ては「波動」の組み合わせによって存在しているという情報なのです。

しかし、地球では、「波動」の性質が一部わかり、それを実用、応用化したらこれだけ人間に役立つ、便利である、あるいは自分たちにメリットがあるというふうに道具を開発しています。結果的に本質的なものを追究することを怠ってしまっています。

その結果、歪んだ方向にかなり進んでしまっています。要するに都合の悪い、理解できない、わからない、そういうものは「例外」にしてしまっています。

第三章　中性子・陽子・電子の構造と性質

「例外」ということは「わからない」という意味なのですが、その「例外」にした中に本質的な大事なものがたくさん残っているのです。にもかかわらず、それを「例外」のままにしておいて自我を基にして論理を組み立て理論化して、次の段階に進んでしまおうとするのです。

このようにして自然を理解しようとしてきたのですが、残念ながら自然界というのは例外はないのです。「自然の法則」には例外はないという情報です。全てに調和があるために存在するのです。この言葉は、わからないものがあるということを明確に示していると言えます。わからないものは素直にわからないものとして残しておいていいのです。

ですから「例外のない法則はない」という地球の言い方は、明らかに文化が未熟とれて、行きわたっているというのが前提になっているわけです。

本当はそれをまた見直す必要があるのに、例外として除いてしまいます と、論理を組み立てる時にそれがカットされてしまうのです。その結果、ベースがゆがんだ方向に、ピサの斜塔のようにどんどん積み重ねられていって、こういう文化が生まれてきているわけです。

それでは基本的な情報をお伝えできましたので、ここで最初にお話しした「本質」、「意識」と「意志」について、もう少し詳しく解説したいと思います。

第四章　三つの「意識」と「意志」

「意識」と「意志」には三種類ある

「本質」という言い方をしますが、その「本質」というのは、私どもがふだん現実に使っている言葉でいう「意識」と「意志」の集合体です。

実は「意識」と「意志」には三種類あります。その三種類あるうちの一番ポピュラーに使われている「意識」と「意志」というのは、顕在意識（DKAG）と言われる、ものを考えたり、行動をとったり、決心したりする働きをするものです。実際に、生まれた時から自分で行動をとっているもとになっている考え方は、主に顕在意識（DKAG）が役割を担っています。

今のこの地球の文化というのは、顕在意識（DKAG）が基本になっています。全てにおいて最終的に一番大事な役割をしているのが顕在意識（DKAG）であるという前提で、この五千年くらいの間の文化は、ほとんど進んできてしまっています。その間にはいろいろな問題があって、歴史的な解釈でもさまざまな段階があり、宗教が

第四章　三つの「意識」と「意志」

中心になっていた時代から、今のこのような地球流の自然科学が中心になっている時代に至っていると言えるでしょう。

それはともかく、顕在意識（DKAG）が実際どういう役割をしているのか、あと二種類の「意識」と「意志」はどういうものか、また、地球上に存在する人間だけに限らずあらゆる動物、植物、鉱物に存在している「本質」にどのようにかかわり、影響を与えるかということも含めてお伝えしたいと思います。今、地球自体のエネルギーが大きく変化し、周波数が変換して、宇宙の中で大転換をする時期に来ているということを踏まえて……。

顕在意識と潜在意識の役割を知ろう

今、「意識」と「意志」とには二種類があると言いました。そのうちの一つが顕在意識（DKAG）で、もう一つは心理学用語でいう潜在意識に近い状態のものです。地球の言葉では潜在意識と言っておきますが、正確には宇宙語では（ﾌｨｯｸ）と言いま

す。

顕在意識（DKAG）は、現実に自分のボディ、人間の体を一人一人が安全にまもって維持、管理、運営をするのが基本的な仕事です。そのために現在の自分の周りの情報を、常に集めながら、自分自身のボディをより安全に維持、管理、運営するというのがメインの仕事なのです。これは意識するしないにかかわらず、皆さん人間として生きている限りそういう行動をとって、思考して判断してということを繰り返しているわけです。

そして顕在意識（DKAG）に対して潜在意識（FIK）のメインの仕事というのは、過去の情報を制御することです。潜在意識（FIK）は、過去の情報を集めて、それらが記憶された装置でコントロールし、人間の顕在意識（DKAG）が行っていないほとんど全ての部分を受けもっています。自分のボディが生まれた時からどういうふうに構成されてきたかを考えてみてください。

今の科学、医学でわかっているように、成人した段階で数カ月の間に約82兆くらい（地球の文化では60兆と言われています）の細胞が新陳代謝しているわけです。その

第四章　三つの「意識」と「意志」

状態に対して、全責任をもってコントロールしているのが、潜在意識（FIK）です。
これは、地球でいう心理学的な説明とは違ってきてしまうのですが、私自身に情報で入ってきたものをそのままお伝えします。ですから、潜在意識（FIK）という言葉は使わせていただきますが、内容は心理学でいうのとは少し違ってきてしまいます。
潜在意識（FIK）が存在している場所というのは、人間の場合、重心近く、お腹のあたり、実際、臓器で言いますと「膵臓」が潜在意識（FIK）の振動波を受振、発振しているということだそうです。これは今の医学では基本的に、膵臓の働きとしては全然理解されていないことだと思います。潜在意識（FIK）というのは、身体中の細胞が入れ代わっても、間違いなく目は目、鼻は鼻に、間違って口が耳になったりすることがないことを責任をもってコントロールしてくれているわけです。爪の先から髪の毛から、全てが予定通り、繰り返し繰り返し再生されている。そのコントロールに顕在意識（DKAG）は全く関与せず、潜在意識（FIK）の方で担ってくれている。
なぜ、それがコントロールできてしまうのかについて考え、追究していくと当然行きつくところがあります。

「意識」および「意志」を別と考えてしまった自然科学

人間の体には、最高約82兆くらいの細胞があります。その約82兆くらいの細胞は分子で構成され、その分子は原子で構成されています。そして原子には原子核があり、原子核の周りに電子がたくさん回転していて原子を構成しています。原子核は、中性子と陽子が中心となって構成されています。

現代の地球の科学、物理学では、少なくとも大きな概念として、人間の細胞に限らずあらゆる存在物を構成する基になっているものが、原子核の中の中性子、陽子であり、それが大事な役割をしているであろうと理解されています。大まかな概念としては、自然を理解する正解な方向のようなのですが、その内容は厳密に言うと、いろいろな問題があります。

あくまでも客観的に追究するという形をとっている自然科学の分野では、最近物理学の素粒子論としてトップクォークとかクォークとかいうものが中性子と陽子を構成

第四章　三つの「意識」と「意志」

している素粒子だという解釈をして、一生懸命研究しているわけです。この辺が地球の科学、文化の大きなベースになっています。今の文化はそういうところから始まってあらゆることが成り立っているわけです。その一番基になる考え方、哲学と言うのでしょうか、あらゆるものの物質ができ上がっている元は何かということを追究している自然科学が、宇宙の仕組みがどうなっているかということを最終的に理解するために、それを見つけ出すことによって、「文化」というのはどんどん変化していくわけです。

ここで、問題なのは、今の地球の文化の基になっている科学、自然科学というのは、基本的に、「客観的に理解できる、研究できる」ことを前提にして進んできてしまっていることです。歴史的に見ると、デカルトさんあたりからそういうことを中心に言われてきたようです。要するに主観が入ってしまうと正確に自然を理解できないということです。

ですから主観に関係する「意識」とか「意志」の問題というのは邪魔になるということで、自然科学を追究する際に排除してしまったわけです。別々にしてしまったわ

けです。二元論というのは、そのあたりのことだと思いますが、精神と物質とを分離した形で自然科学を追究すれば、物質化されたものを追究していって積み重ねるうちに理解できるというとらえ方で進んできているわけです。

問題は、都合が悪いものを避けてしまって、「意識」と「意志」を別にしてしまったことです。科学で説明できない「意識」と「意志」を別にしてしまい、別の学問で心理学というものを生み出したりしています。あるいは宗教的な形で説明はされても、科学的には説明できないということになります。

要するに科学では関知せず、という形で進んできたわけです。その結果、心理学のような学問が現象として説明するように生まれてきてしまったわけです。現実には「意識」と「意志」の問題として、先程の顕在意識（DIKAG）と潜在意識（FTK）以外に、人間というより、すべての動物、植物、鉱物にはもう一つ「意識」と「意志」が存在します。

第四章　三つの「意識」と「意志」

本質の「意識」と「意志」

次に三つ目の「意識」と「意志」についてですが、その前に、脳について簡単に説明しましょう。顕在意識（ＤＫＡＧ）というのは頭蓋骨の内側にありますが、一般に脳ミソと言われる大脳のように細胞化され、物体化されて人間の肉体の一部になって活動しているという一番わかりやすい状態です。実際にふだんは大脳のうちの五％が顕在意識（ＤＫＡＧ）として活動しているわけです。地球の今の人間のほとんどの方の大脳は、顕在意識（ＤＫＡＧ）を中心に五％が活動しています。また、頭蓋骨の内側にある脳で潜在意識（ＦＫ）とコミュニケーションしている脳の神経細胞はやはり五％くらいあります。ですから潜在意識（ＦＫ）と顕在意識（ＤＫＡＧ）がフル活動でコミュニケーションしたとしても、大脳の一〇％くらいしか使われないわけです。

ところが、ふだん皆さんには潜在意識（ＦＫ）を、そんなに使っているという自覚がないわけです。ほとんど顕在意識（ＤＫＡＧ）中心ですから、大概の方が大脳の神

経細胞の五％しか使っていません。結果的にほとんどの人間は、少なくとも残りの九〇％くらいの大脳を使っていません。また、大脳生理学などの研究はかなり進んできてはいますが、今の医学をもってしてもそれが何のためなのか、実際には脳がどこまでどういう役割をしているかは、いまだにわかっていません。いろいろな説がありますが、なぜその九〇％が活動していない状態にあるかについては、ほとんど医学でも理解されていないのです。

三つ目の「意識」と「意志」は、「本質的なもの」という言い方ができます。これは電子を持っていないのです。

顕在意識（ＤＫＡＧ）と潜在意識（ＦＫ）というのは、肉体の一部になっています。潜在意識（ＦＫ）も膵臓の一部として振動波を受振・発振しています。それはやはり細胞化された肉体です。膵臓の中にその役割をしている振動波を生み出すところがあり、現実には肉体化されています。

「意識（中性子）」と「意志（陽子）」は、これに電子を伴って原子化しています。その原子が集まって分子になり、分子が集まって細胞という形になっているのであっ

第四章　三つの「意識」と「意志」

て、人間の約82兆くらいの細胞も全部中性子と陽子が詰まっています。潜在意識（ＦＫ）の中性子と陽子も、「意識」と「意志」があるわけです。電子を伴って膵臓の中で、振動波が発振されコントロールされていますが、末端の細胞の中にも全部分子があり、原子があって、原子核の中に中性子、陽子があるわけですから、どの部分も全部「意識」と「意志」があって、物質波、電磁波、磁気波などで交振しています。振動波によってコミュニケーションしているのです。

その交振する順路は、尾てい骨から脳脊髄までの椎骨です。頸椎や胸椎、腰椎やせん骨などの骨の一つ一つが全部周波数を受振、発振し、それぞれが周波数の範囲を持っていて役割が違うようです。それが末端の臓器まで、あるいは全細胞の一つ一つでコントロールできるようになっているということです。そして、髄液は30,000種類の情報をもっているということです。その人間の一生が全てプログラムされ記録されている髄液から大脳の一部の記憶装置にセットされ、随時潜在意識（ＦＫ）にコントロールされて、全細胞にまし、それらの脊髄の一つ一つが潜在意識（ＦＫ）に連絡をで振動波が行き渡っています。

最近地球の医学でも、分子レベルの研究がかなり進んできています。今では分子レベルで記憶装置の大事なコントロールをしているのは、DNAの役割であることが知られています。分子レベルでDNAは大事な役割をしていますが、分子レベルの記憶の範囲は10^{20}種類くらいということですから、DNAが理解できれば全部一括して理解できるような、そんな情報量ではないわけです。全体的には10^{5000}種類くらいということですから。

ですから分子レベル、原子レベル、電子レベル、原子核レベルあるいは中性子、陽子レベルといういろなレベルが振動波としてはあって、その各レベルがコミュニケーションをするために、各種波動の形態、即ち周波数、波長、波形、振幅などによって交振しているわけです。

「波動」は周波数、波長、波形、振幅で常に一番近い状態で干渉し合うか、同調するか、もしくは増幅をするか、いろいろな性質があるわけです。

この波動を理解し、それらの性質を使って、あらゆることが現実に「波動」でコントロールできるわけです。

第四章 三つの「意識」と「意志」

問題になるのは、「意識」と「意志」の中性子と陽子が、回転運動をせず電子を伴っていない状態の原子核だけが回転運動をしてたくさん集まって構成している状態です。

これが三つ目の「意識」と「意志」で、「本質」であり、原子核の集合体（EXA PIECO）と言います。この「本質」は電子を伴わず、物体化していません。人間の目には見えませんが、人間の場合全部これが、誰でも振動体として生まれたときは頭蓋骨の外側に少しはみ出しています。

原子核の集合体（EXA PIECO）というのは、日本語では「魂」という言い方が一番近いかもしれませんが、かなり不正確です。正確には宇宙語では（EXA PIECO）と言います。図表13は人間の場合の典型的な原子核の集合体（EXA PIECO）を描いたものです。

図表13

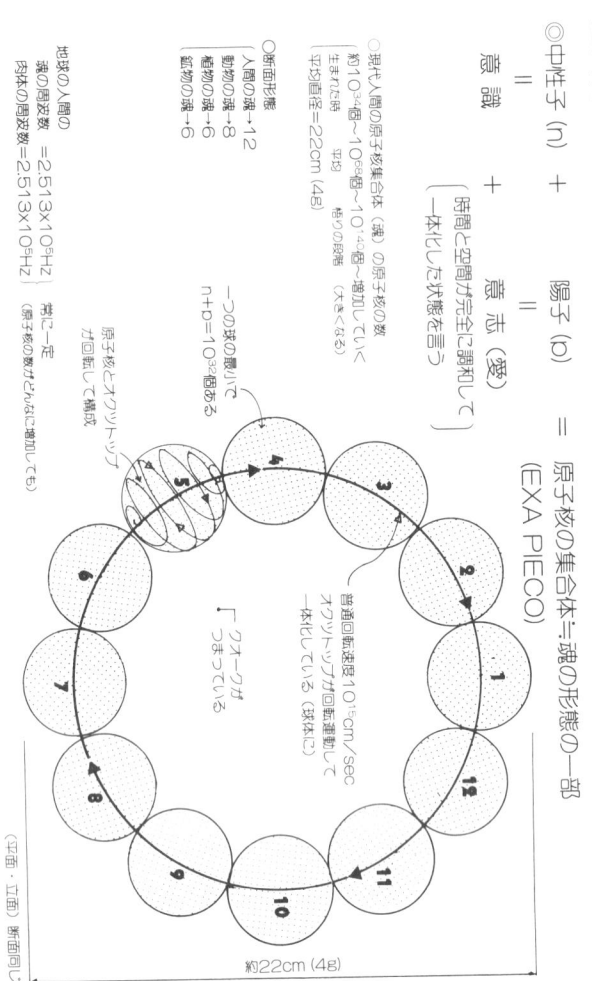

◎ 中性子 (n) ＋ 陽子 (p) ＝ 原子核の集合体＝魂の形態の一部
　　　＝　　　　　＝意　志　　　　　　　　　　　　　（EXA PIECO）
　　意　識　　　　　（愛）
　　　　　　　　　（時間と空間が完全に調和して
　　　　　　　　　　一体化した状態を言う）

○ 現代人間の原子核集合体（魂）の原子核の数
　約10³⁴個〜10⁶⁸個〜10¹⁴⁸個へと増加していく
　　　　　　　　　　　　　　　　　　　悟りの段階
　　生まれた時　　　　　　　　　　（大きくなる）
　　平均直径＝22cm（4g）

― 一つの球の集まりで
　n＋p＝10³²個ある

― 原子核とオフントリップ
　が回転している

― 普通回転速度10¹⁵cm/sec
　オフントリップが回転運動して
　一体化している（球体に）

― クオークが
　つまっている

○ 断面形態
　人間の魂 → 12
　動物の魂 → 8
　植物の魂 → 6
　鉱物の魂 → 6

地球の人間の
魂の周波数　　＝2.513×10⁵Hz
肉体の周波数　＝2.513×10⁵Hz
　　　　　　（原子核の数がどんぶに増加しても
　　　　　　　　第二一定）

（立面、立面）断面同じ

約22cm（4g）

第四章 三つの「意識」と「意志」

原子核の集合体の構造と性質を知ろう

これをもう少し説明しましょう。原子核の集合体（EXA PIECO(エクサピーコ)）という言い方をしますが、要するに一つ一つが、中性子と陽子、即ち「意識」と「意志」であって、それが結合して原子核を構成し、その一つ一つが回転運動をし、それがたくさん集まって球体になっているのです。

その球体になっているものを断面で描くと、12個、球が見えるような状態で球体になっています。この球体になっているのは、どの面から見ても12の断面になるような、水平で切っても垂直に切っても12になるような断面ですから、要するに全部で62個のグループの球体の原子核が回転運動をして集まっていることになります。それがまた前述の中性子を一体化しているのと同じ（OCTSTOP）という物質が、ものすごい速度（平均10¹⁵~¹⁸cm/sec）で球体の中を回転運動し、離れないようにしているという状態のもので、電子を持っていないのです。だから物体化していないのです。

105

全体が約82兆の細胞で構成されている人間の肉体は、地球の人間の場合には、2.513×10⁵Hzという振動波をもっています。原子核の集合体（EXA PIECO）も、その振動波と同じ周波数の2.513×10⁵Hzで同調し、一体化しています。そして頭蓋骨の中の顕在意識（DKAG）や潜在意識（FK）が使っていない、大部分の方が九〇％そのままにしてある大脳のその部分と、同時空間で一体化し振動体として存在しています。

これは肉体化していませんから、肉体が終わった時にはいつでも離れて、時空間を自由に移動できるわけです。これが「本質」であって、ボディ、人間の肉体はあくまでも借り物なのです。そして自然の法則の中で、宇宙の全ての存在物には原子核の集合体（EXA PIECO）が存在しており、それらが皆スタディをしているのです。

第五章　原子核の集合体〈EXA PIECO＝本質≠魂〉のスタディ

原子核の集合体はスタディによって成長する

原子核の集合体(EXA PIECO)のスタディとは、次のようなことを言います。原子核の集合体(EXA PIECO)がまだ未熟な段階にあり、周波数が低く、自然の法則をまだよより詳しく、正確に理解できていないレベルの振動波の時には、スタディのためにいろいろな状態のボディを選択し、そこで体験をして味わうということをしています。人間の場合で言えば、原子核の集合体(EXA PIECO)がスタディのために人間のボディを選択し、借りているわけです。

これは鉱物の場合ですと、例えば原子核の集合体(EXA PIECO)の回転球体グループの断面が6個です。植物の場合でも6個、動物の場合は8個で、人間の原子核の集合体(EXA PIECO)になると先述のように12個になります。これは大まかな言い方で、正確にはいろいろな場合があります。

大まかに言いますと、人間レベルのボディを選択してスタディをする状態まで宇宙

第五章　原子核の集合体（EXA PIECO＝本質≒魂）のスタディ

図表14　原子核の集合体（EXA PIECO）

原子核集合体の原子核の数
2.68×10^{34}個

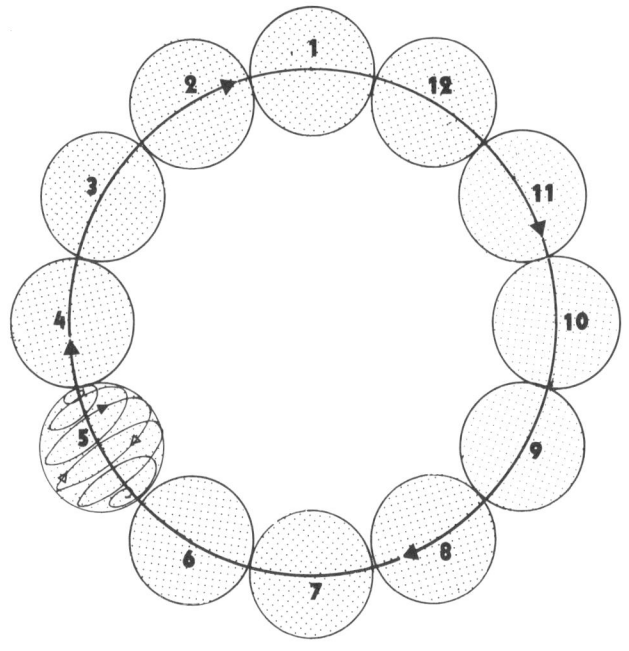

（平面・立体）断面周り

原子核の集合体の一つの球体の原子核の数
$268 \times 10^{32} \div 62 \fallingdotseq 4.32 \times 10^{32}$個

と調和がとれて周波数が上がってきますと、原子核の集合体（EXA PIECO）は回転球体グループが12の断面で構成された状態になります。また例えば6の断面をもった植物の段階でスタディが進んで周波数がどんどん上がり、かなり成長してある段階まで来ると構成の仕方が変わって、8つの断面になったり、さらに成長して12の断面に変換することもあります。

原子核の集合体（EXA PIECO）が成長するということは、原子核の集合体（EXA PIECO）の原子核の数が増えていくっことです。人間の場合、生まれた時には原子核の集合体（EXA PIECO）の原子核の数は10^{34}個です。図表14に描いてあるように、人間が最初の赤ちゃんとして生まれた時というのは$2.68×10^{34}$個です。

1の後にゼロが34個つくだけの数だけ原子核が集まって、それが電子を伴わないで回転運動をしながら存在しているようです。これがスタディをして成長をしていきますと、この中の原子核の数が増えてくるのです。回転する速度が速くなり、数が増えるのです。さらに、全体としての回転速度も速くなります。

第五章　原子核の集合体（EXA PIECO＝本質≒魂）のスタディ

原子核の集合体（EXA PIECO）の全体の周波数の振動波は、人間の肉体と同調するために常に同じようです。これは一定だということです。もちろんこれは物理学的な法則と言えますので、数式に表わせると思うのですが、まだ数式化はしていません。

原子核の集合体（EXA PIECO）はどんどんスタディをし、成長するに従って原子核の数が増え、回転運動が速くなり、全体の原子核の集合体（EXA PIECO）の大きさが大きくなるわけです。球の数は変わらないのです。12の構成の仕方は変わらず、62個はずっと62個です。

これは例えば、和菓子のかのこの雰囲気を思い出していただければいいと思います。楕円球体で周りに粒々があって、その粒々が回転運動をしている。中のあんこはクォークですね。クォークで全部詰まっている。原子核の数が少なくとも10³⁴個から始まり、自然の法則にかなった調和のとれた意識でスタディを積み、実行していくに従って周波数が上がる。現実に何か調和のとれた決心をしますと、その瞬間に原子核の数が増え、それを実行して実現するステップを踏みますと、体験して味わった原子

核の集合体（EXA PIECO）は成長します。

自我がもたらす不調和な振動波を防ごう

ところが不自然な、自然の法則に反するような意識で顕在意識（DKAG）が行動をとり続けますと、不調和な振動波を出し続けて周波数が上がらず、これが下がっていきます。そうしますと、原子核の集合体（EXA PIECO）の数がまったく増えません。生まれた時から死ぬまで、この10の34乗個で大きさが22㎝のままという方もいます。

つまり「本質」である原子核の集合体（EXA PIECO）はスタディをしたくて、そのメッセージをいろいろな形で顕在意識（DKAG）に振動波として送っているのです。ところが、ふだん地球のこの文化のベースになっている基本的な考え方を主体にして生き、より安全に自分のボディを守ろうという顕在意識（DKAG）が強いとそれを受け取れないのです。

要するに顕在意識（DKAG）が調和のとれた状態でボディを管理している場合

第五章　原子核の集合体（EXA PIECO＝本質≒魂）のスタディ

は、「本質」から入ってくる情報を顕在意識（DKAG）も素直に受け止めてそれを実行することができるわけです。それが、より安全に自分だけのボディを守ろうという意識（いわゆる自我）が拡大されますと、つまり、自分の安全を守る、自分の家族だけの安全を守る、自分の会社だけは、自分の国だけは、自分の民族だけは、あるいは「人間だけは」という意識になりますと、その意識は、自然の法則から見れば不調和です。エネルギーは全ての存在物の調和がとれるように、例外なく均等に行きわたっていくものです。「人間だけ」という意識は、自然の法則から見れば非常に不調和です。そういう意識で行動をとっている限り、顕在意識（DKAG）は常に不調和な振動波を発振しています。

不調和と言うのは、先ほど触れた中性子と陽子が完全に調和のとれた形態をしていないことです。回転運動が歪んだ状態になったり、切れてしまったりします。人間の顕在意識（DKAG）が、もし自分の欲望を満足するためだけのような意識で振動波を発振した場合、中性子・陽子を構成する時に歪んだ状態になり、正常な形態をしていないということです。つまり正常な振動波、周波数、波長、波形にならないという

ことです。

顕在意識が「本質」を歪めてしまっている現代

　生まれた時の「本質」、つまり中性子・陽子で構成されている原子核の集合体（EXA PIECO）は、調和がとれているので、宇宙から入ってくる情報は常にこの「本質」の方にコミュニケーションされます。ところが顕在意識（DKAG）が自分の欲求を満足させる形で、安全を守る形で拡大し過ぎ、歪んだ振動波を出し続けると「本質」までが歪んでいってしまいます。

　子どもの時には「本質」もその振動波も調和がとれていますし、顕在意識（DKAG）も本来の姿で調和がとれ、宇宙から入ってきた情報、これは地球から見れば未来の時空間の情報ですが、それを直接ストレートに受け止め、そのまま素直に実行しようとすることがたくさんあります。

　ところが今の地球の文化をベースにした社会の仕組の中では、顕在意識（DKAG）

第五章　原子核の集合体（EXA PIECO＝本質≒魂）のスタディ

原子核の集合体はスタディが進むに従って「軽くなる」

があらゆる形でしがらみをもとにして判断しますので、それを受け入れるように子どもをどんどん教育していきます。私も長いこと何年もそうやってきましたが、実際にそのことに気づいたのは、この五年、十年の間のことです。普通の人間の顕在意識（DIKAG）というのは、そのようなことが基本的にベースになって、素直に入ってきた子どもの情報を、コントロールして歪めてしまうわけです。

社会の仕組みに対応できるようにという、ある意味では約束事としてそういうふうに教育する必要があってそうしているわけですから、最初から最後まで全部悪いという意味ではありません。これは地球がシフトし、人間の文化がシフトしていく段階のステップとして止むをえないのです。しかし基本としては、今、気づかなければ大変な方向に向かっていくだろうと情報では伝えられています。

「本質」の方では、本来、人間のボディを借り、自然の法則にかなって調和のとれた

意識をスタディしています。この「本質」——原子核の集合体（EXA PIECO）というのは、最初は鉱物から始まって、確実にスタディをし、だんだん成長して原子核の数が増え、構成の仕方も変わってきます。植物を選択したり、動物を選択したり、人間の原子核の集合体（EXA PIECO）として今度は人間のボディを選択するという、こういう成長の仕方をしていくわけです。

これが人間の原子核の集合体（EXA PIECO）＝「本質」であって、宇宙の全ての存在物はどんなものでもその重心に原子核の集合体（EXA PIECO）が存在しています。人間が作ろうが、自然界で自然に生まれようが、とにかく常に「本質」は選択をし、スタディをするという準備をして、この時空間に存在しているのです。

その存在というのは、地球が図表15の中心にあるとしますと、地球の外側に物質波、電磁波、磁気波の振動波を原子核の集合体（EXA PIECO）は受振、発振しながら、その周波数レベルに応じて所定の位置に浮遊しています。

そして、これが地球上から外側に向かって宇宙の空間に何層にも広がっているんですが、周波数がそれぞれ違います。これは外側だけではありません。周波数が下がっ

第五章　原子核の集合体（EXA PIECO＝本質≒魂）のスタディ

図表15　原子核集合体位置図

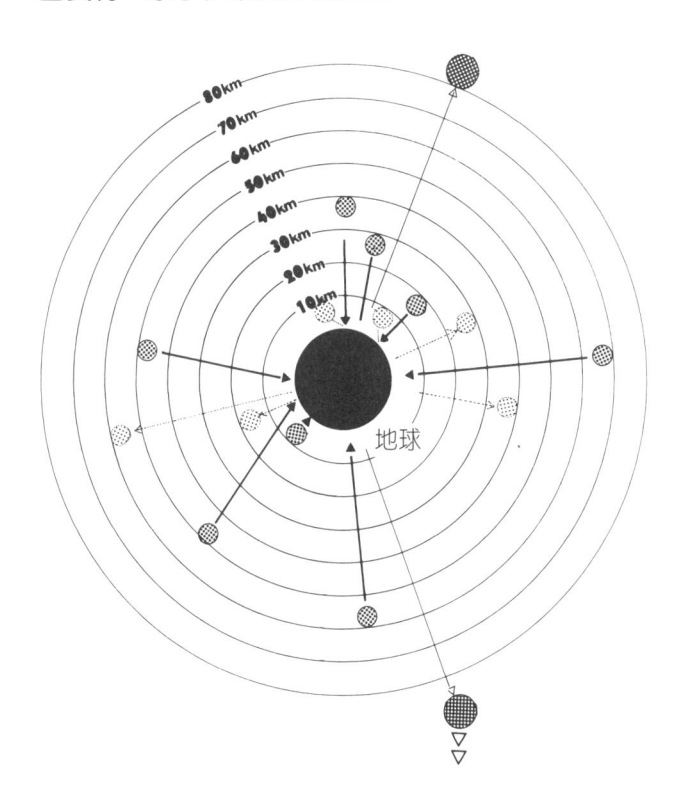

て不調和な振動数を出し続けていますと、地面の中に潜っていきます。重力とか引力というのも波動です。

実際に重力というのは、物質波（CEGIN〈セギン〉）が主体になっています。地球で言っている重力というのは、物質波だけではありません。実は磁気波（KEGOT〈ケゴット〉）との複合波で、両方とも10¹⁸Hzという振動波が重力を意味しています。

要するに原子核の集合体（EXA PIECO）は、原子核が回転運動をしながら物質波、電磁波、磁気波の振動波を出していて、その周波数が上がり調和がとれていくにしたがって、重力の関係で言えば「軽くなる」という言い方ができるのです。周波数が低くなる状態は、「重くなる」と考えていいでしょう。そうすると原子核の集合体（EXA PIECO）は下がっていきます。

地球の周囲では原子核の集合体がスタディを待っている

地球の周囲の各層、各周波数毎に、スタディするために原子核の集合体（EXA

第五章　原子核の集合体（EXA PIECO＝本質≒魂）のスタディ

PIECO）が待っている場所があります。

つまり、地球で肉体化したり、あるいは物体化したり、植物になったり、魚になったりという選択をしてスタディをする時には、地球の外側をとりまく周波数ごとに、先ほどの6つの断面であったり、8つの断面であったり、12の断面として存在し、原子核の集合体は浮遊しているわけです。下の方の10㎞から下位のところというのは、いわゆる「幽界」という振動波のレベルの原子核の集合体（EXA PIECO）のところです。そして10㎞以上80㎞までのところのレベルを「霊界」と言い、それを経た後、一番遠いところで地球の表面より80㎞以上のところの原子核の集合体（EXA PIECO）、それが地球という星を選択してスタディをし、予定のプログラムが終了して、他の時空間へ移動する準備ができるレベルになった原子核の集合体（EXA PIECO）のところです。この80㎞のところまで原子核の集合体（EXA PIECO）が上に昇っていける状態にならないと、次の段階に進めないわけです。

これは「波動」ですから原子核の集合体（EXA PIECO）のレベルがどれだけの周波数かによって、また、波動の性質によって、常に干渉を受けてしまうのです。非

常に近い周波数、波長、波形、振幅ですと、お互いに影響し合って、そこで同調したり、あるいは干渉を受けてそこを越えられないわけです。

ですから10㎞レベルの原子核の集合体（EXA PIECO）、20㎞レベルの原子核の集合体（EXA PIECO）、30㎞、40㎞、50㎞とそれぞれ固有の周波数があって、80㎞のところまで辿り着きます。その状態になるには、数字で言いますと、少なくとも「$10^{85万×78}$Hz」という、こういう周波数以上で、また原子核の集合体の数が「$10^{85万×78}$個」以上にならないと、ここのところまで辿り着けません。

それまでの間、たとえば7㎞以下のところで浮遊して待っている原子核の集合体（EXA PIECO）は、地球上で今度はあの花になるとか、今度はあの動物になるとか、そういうスタディを繰り返し、16㎞以下のところではどんな動物を選択してスタディするか検討し、それ以上になるとさらにどんな人間でスタディするかを検討します。そして人間になった状態で今度は調和がとれれば、上の80㎞のところまで行けるわけです。

これは「波動」で、周波数・波長・波形・振幅がありますから、その物質波、電磁

第五章　原子核の集合体（EXA PIECO＝本質≒魂）のスタディ

波、磁気波の周波数が上がって桁がうんと違った状態になれば、影響を受けずにそこをクリアーして抜けてしまうわけです。波動の性質からいって、同調したり、干渉を受けてしまったりすれば、バリアとなってそこで止まってしまう。そしてそこでスタディをする。つまり待っているわけです。

地球には未熟な段階の原子核の集合体がたくさんある

ところで周波数が上がりますと、肉体を選択しなくても原子核の集合体（EXA PIECO）のままでだんだんスタディができるようになります。

地球という星は、まだ周波数が非常に未熟な段階の原子核の集合体（EXA PIECO）の数が圧倒的に多いのです。また、地球の周りには何百億、何千億という原子核の集合体（EXA PIECO）が存在しています。肉体を持った原子核の集合体（EXA PIECO）に関して言うと、今の地球の人口は56億くらいですが、人口が増えてしまうということは、未熟な段階で人間を選択するくらいの原子核の集合体

地球よりはるかに調和のとれた星というのは、原子核の集合体(EXA PIECO)だけで常にコミュニケーションもスタディもできますから、肉体化はしません。しかし、何かよほどの理由で肉体化する必要があり、その肉体を使って役割をするという時には、原子核の集合体(EXA PIECO)が入れ替わって一つのボディを使うということがあり、調和のとれた度合によって数が増えていくらしいのです。ボディが一つで何千年、何万年、何百万年と生きて、そのボディを原子核の集合体(EXA PIECO)が交替で必要な時に使うということです。要するに肉体化する必要がなければ、基本的にはしないでスタディをしていくわけです。そして役割をすることができるのです。

(EXA PIECO)がたくさん増えているということです。ですから、そこでのスタディが必要なために人口が増えてしまいます。

第五章　原子核の集合体（EXA PIECO＝本質≒魂）のスタディ

地球の文化が発振する波動はまだ周波数が低い

　波動というのは、同調さえすれば宇宙中どこにでも交振できる状態になっています。

　地球では電磁波でいくら発振しても受振できないというのは、地球のレベルから言って、あまりに低い周波数で交振しようとしているからです。地球よりずっと調和のとれた文化の星の高い周波数と同調できるはずがありません。例えば少なくとも、UFO、即ち時空間移動できるレベルの文化を持った星では、コミュニケーションのために使用する波動は、最低$10^{10.5}$Hz以上の電磁波（DILEKA（ディレカ））であり、普通宇宙では、〈周波数$10^{1000.5}$Hz・波長$10^{-1000.5}$cm・振幅10^{-1000}〉で交振しています。

　ついでに申しますと、この私どもの銀河系内の宇宙の法則にかなった調和のとれた惑星連合（FIDA（フィーダ））のレベルでは、〈周波数$10^{10億}$Hz・波長$10^{-10億.5}$cm・振幅$10^{-10.5}$〉以上（地球上の単位）で交振しています。しかし、現代地球文化の最先端のプエル

ト・リコのアレシボにあるアンテナでさえ、宇宙からの波長が$6 \times 10^9 cm = 6 cm$の電磁波をキャッチするのが限界だということです（参考『はるかなり地球外生命』同文書院）。

ちなみに、この本の情報の三〇％は〈FIDA〉から得ており、それより遥かに高い周波数（$10^{10\cdots 10^{105}}$Hz以上）の銀河連合〈FILF〉からも二〇％くらい、その他の星々から約五〇％前後の情報を得てお伝えしております。これはすべて私自身の顕在意識〈DKAG〉の周波数変換によって発振し同調した結果入ってくる情報です。地球でも六～七年後にはそれに気づき始めた文化に大転換していることでしょう。

ただし、その前に大きなハードルを越えなければなりませんが……。

今、地球という星自体も、その周波数がどんどん上がり出しています。地球自体がもっている原子核の集合体〈EXA PIECO〉の振動波というのは、地球の重心から発振してきています。それが外側に向かって物質波、電磁波、磁気波のエネルギーの振動波を発し、その恩恵を受けて動物も植物も鉱物も、私達はみんな同じように物質波、電磁波、磁気波でコミュニケーションしているわけです。

第五章　原子核の集合体（EXA PIECO＝本質≒魂）のスタディ

それ以外の波動の形態もたくさんあります。地球で今、三種類しか気づいていないだけで、本当はもう数えきれないほど、何万種類以上もあります。何万種類どころか指数関数レベルで、正確に言いますと、10の85乗種類以上あるのです。波動の形態はそれぞれ役割が違うのです。それは宇宙語で（ファント）と言い、10の85乗番まで全て名称とナンバーが決まっています。

顕在意識を止めなくても情報が得られる条件とは

スタディをして成長した原子核の集合体（EXA PIECO）が上に昇っていくとは言っても、顕在意識（DIKAG）が常に自然の法則に反する自分勝手な自我や欲望を満足する振動波を出し続けていると同調できません。というのは、中性子・陽子が歪んでしまって、周波数、波長、波形、振幅が違ってしまうからです。

私も最初は顕在意識（DIKAG）が悪いのだと思っていました。直観や閃きが入るようにするには、顕在意識（DIKAG）をストップする必要があるのだというふうに

125

思って、妹も私もそうしていたのです。ところが、途中からだんだんそうではないなということに気づき始めました。妹と研究していてその状態が明らかになってきたのですが、普通に話していても、ビールを飲みながら話していても、情報を得ようと思えばそのままで入るようになってきて、"顕在意識（DKAG）を止めなくてもいいんだ。このままでもいいんだ"とわかったのです。ただし、それにはたいへん大切な条件があることに気がつきました。

では、何が原因だったのかと言いますと、要するに基本的には顕在意識（DKAG）が自然の法則にかなって調和のとれた方向への「意識」変換をする必要があるのです。今の地球の文化のベースになっているのは、本来存在している原子核の集合体（EXA PIECO）に気づかず、人間のボディを「本質」として考えてしまうという自分勝手な顕在意識（DKAG）です。つまり「本質」ではないこの肉体を主体に、常に自我や個人的欲望が拡大してしまっている状態、すべてをコントロールしようという意識でより安全にボディを守ろう、より長生きしようというように欲望を満足させる形で顕在意識（DKAG）が働いている状態です。

第五章　原子核の集合体（EXA PIECO＝本質≒魂）のスタディ

このような状態は自然の法則に非常に反した、歪んだ振動波を発振してしまうわけです。その状態になっている限り、情報は直観や閃きとして入ってこないのです。現在の情報というのは人間の顕在意識（DKAG）がメインで役割を果たし、過去の情報は潜在意識（FIK）が受けもっています。また、未来の時空間の情報とコミュニケーションできる状態に準備するのは、「本質」である原子核の集合体（EXA PIECO）がメインの役割となっています。未来の時空間から来たメッセージを人間のボディに伝え実行し、スタディをし、体験をして味わって、「本質」の原子核の集合体（EXA PIECO）は成長する、そういう過程を踏みたいわけです。

ところが顕在意識（DKAG）の方が一方的に「本質」を無視して、自分のボディだけを守ることに専念し始めてしまっている状態が、今の文化です。

ですから顕在意識（DKAG）がその歪んだ振動波を発振している限りは同調できません。そのようにしか顕在意識（DKAG）が働かない状態というのは、歪んでいる顕在意識（DKAG）ですから、ストップして、とりあえず直接調和のとれた振動波が入ってくるようにするしかないのです。歪んだ振動波を発振しないようにしない

といけないからです。

しかし顕在意識（DKAG）の変換をし、自然の法則にかなった調和のとれた意識変換をしていれば、またそれを常に心がけて、顕在意識（DKAG）が「本質」と一体化するように調和のとれた振動波を受振、発振し、同調できるようにしていれば、「本質」が受振した情報はそのままストレートにわかります。

即実行するという形で実現すれば、これはまた「本質」が喜んでスタディできるわけです。そうすると不思議なことに、その「本質」に未来から情報が入ってきます。

さらにそれを具体的にそのまま実行しますと、原子核の集合体（EXA PIECO）の中の原子核の数が増えるのです。

原子核の数が増えるということの意味を知ろう

先述したように、原子核の集合体（EXA PIECO）の球体の一つ一つの中の原子核の数が10の何乗個という形でトータルで10^{34}個から始まった人間がスタディをし、

128

第五章　原子核の集合体（EXA PIECO＝本質≒魂）のスタディ

その数がだんだん増えていきますと、瞬間に直観で入ってきたものをそのまま素直に受け入れて実行するようになります。そうしますとその瞬間に、原子核の集合体（EXA PIECO）の原子核の数がさらに増えるのです。即ち中性子と陽子が増えます。

この中性子と陽子というのは「意識」と「意志」と言いましたが、実は中性子は受振の役割を、陽子は発振の役割をしているのです。

もちろん受振というのはわずかに発振をしているわけです。それでなければ受振はできません。ですから中性子が発振をしていないということではなくて、メインが受振装置というわけです。陽子の方は発振がメインの仕事です。

ですから原子核の集合体（EXA PIECO）の原子核の数が増えるということは、同じ周波数で「本質」が高くなってきた場合に、中性子と陽子が増えますので、受振も発振も増え、もっとより広い範囲の情報が入ってくるということです。ですから情報量は拡大されてずっとたくさん入ってくるようになります。これは実際に行動をとる時に非常にやりやすくなります。今まで狭い範囲で解決策の方法論が一つか二つし

かなかったという場合、もし原子核の集合体（EXA PIECO）の原子核の数が増えますと、思いも寄らなかったアイデアや考え方、あるいは解決策など、すばらしい答えがたくさん入ってきます。

非常に現実的な行動がとりやすくなります。具体的に行動をとってまた、実現させるからです。そうやって行動をとり実現した結果、さらに確信を持つことができ、調和のとれた意識になるので周波数が上がります。そして、また行動をとれば、さらに原子核の集合体（EXA PIECO）の原子核の数が増えるという、その繰り返しになるわけです。

顕在意識の「意識の変換」がポイント

私達はふだん「本質」に入ってきた情報を、顕在意識（DKAG）を中心に「意識」していますから、何か真剣に考えて行動をとるという時に、「本当はこうした方がいいんだ」という情報が入ってくるわけです。そして「本当はこうした方がいい」

第五章　原子核の集合体（EXA PIECO＝本質≒魂）のスタディ

ということを即実行する方もいますが、ほとんどの方は「本当はこうした方がいいんだけれど、でもあれもあるし、これもあるし……」という、要するに、子供の関係だの、親子の関係だの、血のつながり、親戚だのとか、あるいは会社の上司や部下の関係とかそういうしがらみの「意識」をもって、「本当は必ずこうなんだけど、でもこういう事情があるからこうしてしまおう」というふうに変更してしまうわけです。これは顕在意識（DKAG）によって都合で変えているわけです。

要するに顕在意識（DKAG）によって都合で変えるということは、人間の社会の仕組、文化を作っている仕組に受け入れられるために、都合がいいように自分で修正してしまうわけです。利害も含めて、自分にとって一番無難な方法で解決してしまおうというふうにです。

本来は自然の法則にかなって、調和のとれた情報が未来の時空間からちゃんと「本質」のところに入ってきているのです。それを歪めて自分で都合のいい形に変更して行動をとるというのを、ほとんど顕在意識（DKAG）がやっています。それを「本質」と同調できるように、顕在意識（DKAG）の方が素直に「意識の変換」をして

自然の法則にかなった調和のとれた状態にしておく。常に「本質」と同調させておく。そうするとこれは自然に「本質」に入ってきた情報がそのままストレートにわかりますから、つまりいつでもどこでも直観、閃きが起き、それを実行するために「決心」が必要になるわけです。実行する「決心」をしないうちに何となく行動をとってというのは、「行動」ではありません。

「決心」することが原子核の集合体を成長させる

「行動」というのは「決心」をした時なのです。要するに何だかわからないけれど、まだ決められないで悩みながらとりあえずこうしておくという、これは「行動」ではありません。これでは原子核の集合体（EXA PIECO）の原子核は増えないのです。

ところが、「本質はこういうことをやった方がいいな」と思いながら、顕在意識（DIKAG）では「あれもこれも起きちゃうかもしれない」と心配をする。けれど

第五章　原子核の集合体（EXA PIECO＝本質≒魂）のスタディ

「とりあえず、もう思いきって決心してしまおう！」と、そういうふうに思いますと、途端に原子核の集合体（EXA PIECO）の原子核の数が増えます。つまり受振と発振の装置が増えるのです。その結果どうなるかと言いますと、受振でたくさん情報が入る準備ができ、発振で同じ問題に対して解決策が必要だという周波数をたくさん発振するわけです。

「決心」するということは、原子核の集合体（EXA PIECO）の原子核の数が増えるということです。そうすると自分の身の周りで起きている全ての現象は、自分が発振した振動波と同調したときにその現象が起きるわけですから、当然今まで目の前を通り抜けていたような振動波と同調できるようになります。発振する数が増え、受振する装置も増えますので、その現象が起きるようになるわけです。

例えば、「本質」に入ってきた情報を「本質」で実行しようとする人が周りにいるわけですから、そういう振動数と同調できるようになります。それまで自分が不調和な振動波のために同調することができず、通り過ぎていっていただけの振動波も、自分が「決心」して調和のとれた振動波になりますと、同調しやすくなるわけです。そ

133

の状態が瞬時に起きるのです。

ですから、「決心」する前と「決心」をした後では全然違うのです。「波動」では「まるで」違います。「波動」で理解できていない文化ですから、それに気づいていないのです。現象でしかとらえないから、奇跡とか偶然になってしまうのです。これは奇跡でも偶然でもありません。「波動」で理解できる文化のレベルになれば、当然のことです。

「決心」するということは、「損か、得か」ではないのです。即、答えであり迷いがないわけです。入ってきた情報が自然の法則にかなっていますから、調和がとれた「本質」に「直観」という形で入ってきているわけです。それをストレートに受け入れてそれを実行すること、これは自然の法則にかなって調和がとれています。実行しようと「決心」したことによって原子核の集合体（EXA PIECO）の原子核の数がなぜ増えるかの説明は、ここでは省略させていただきます。自然はそのようにできているようです。これについてはいずれ他の機会に詳しく述べさせていただきます。

第五章　原子核の集合体（EXA PIECO＝本質≒魂）のスタディ

究極の宇宙意識へ向かって

　原子核の数が増えるということは受振も発振も増えていますので、「決心」する前とは急変して、あれをやる場合、こういう問題が起きたら困るからあの人に相談してみようとか、あそこから資料をとり寄せてみようとかいうようなことを思えば、それこそ「波動」ですから、現象が起きてしまいます。「決心」した時点からその振動波は出ていますから、こちらで行動をとらないうちにダイレクトメールでその答えが来てしまったり、バッタリとその人に電車で会ってしまったり、電話が入ってしまう。こちらでやろうとしていることが先に来たりすることが頻繁に起きてきます。調和のとれた意識で行動をとり出した人は、必ず皆さんそういう体験をしています。

　これを繰り返すかどうかなのです。大切なのはその繰り返しだけです。基本的には調和がとれた状態で原子核の集合体（EXA PIECO）がスタディをし、周波数が上がって、自然の法則、「本質」に近づいていく。宇宙全体の時空間をコントロールし

ているそういう「本質」というのは、やはり宇宙全体の重心に、「意識」と「意志」としての振動波で、一番調和のとれた存在があるようです。それが究極の宇宙意識で(EIKO〈エーコ〉)と言います。

その周波数に向かって今の時空間の全ての存在物の原子核の集合体(EXA PIECO)というのは、常にスタディをしながら調和のとれた方向で近づいていく。これは人間だけではありません。動物も植物も鉱物も全てそうです。地球も太陽も月もみなそうです。全ての存在物に原子核の集合体(EXA PIECO)が存在しています。

「意識」と「意志」、中性子と陽子、それがあらゆるスタディをしながらそれを通じて成長し、調和のとれた時空間が構成されていく方向に向かっているようです。そのスタディの段階で、物体を選択してスタディをするということが輪廻転生ということだそうです。

第六章 地球文化の未来──時空間移動(テレポーテーション)を経て

宇宙の時空間の仕組を知ろう

皆さんはたまたま地球という星を選んで輪廻転生し、スタディをされているわけです。地球上の人間の原子核の集合体（EXA PIECO）の八割は、他の星で原子核が発生して、いろいろな星を転々とスタディをしてきている方たちです。地球で生まれて、地球で育った原子核の集合体（EXA PIECO）を持ってスタディをしている方は二割くらいです。

星によって、その多様な文化を作っている原子核の集合体（EXA PIECO）の構成の仕方は違います。地球はたまたまそういう状態なのです。どこの星に生まれて、何がいいとか悪いとかいうことはありません。一人ひとりが選択しているあらゆる原子核の集合体（EXA PIECO）は、常に自然の法則にかなう調和のとれた方向にスタディをするのが前提で、人間や動物、植物、鉱物を選択しています。

人間の顕在意識が歪み、歪んだ振動波のために、地球上の自然の理解の仕方が歪ん

第六章　地球文化の未来──時空間移動（テレポーテーション）を経て

でしまっているものが、たくさんあります。動物は自分たちが生き抜いていくために、動物同士で殺しあって食べるといった形で生き抜いていくとか、自然界は競争し、闘って勝ち抜くようにしか成り立っていないといった認識は、地球という星の、この五千年来の文化の人間のレベルの原子核の集合体（EXA PIECO）の顕在意識が歪んでいることによる解釈です。人間が歪んだ振動波を出し続けていることが、そのレベルに到達していないあらゆる存在物の原子核の集合体（EXA PIECO）に影響を与えてしまっているのです。

基本的に宇宙の時空間の仕組では、「波動」の高くなった原子核の集合体（EXA PIECO）は、そこに行き着くまだ前の段階の振動波の原子核の集合体（EXA PIECO）をサポートするということが、ミクロからマクロの段階に至るまで全てに行き渡っているそうです。ですから調和がとれて周波数が上がると、自分の周波数までは皆さん、その原子核の集合体（EXA PIECO）を感じ、見ることができます。

あるいは、わかるのです。

しかし、その周波数レベルに達していない状態、自分の周波数以上のレベルについ

てはわかりません。わからないものを推理、推測をするということは、地球で行っている思考方法と同じ延長線になってしまいます。肝要なのは、わからないことを考えるのではなく、自然の法則にかなった調和のとれた意識に顕在意識を変換して本質と同調し、あるテーマをもって真剣に考えるということです。つまり深く「意識」をするという形をとって「意志」で発振をすると、情報が入ってくるのです。

地球の文化のベースになっている従来の考え方は、過去の情報、現在の情報を集めてそれを資料にし、未来を推理、推測してしまうことです。これは「真の創造」ではない、という情報です。「真の創造」というのは、未来の時空間から情報を得ることから始まるのです。

宇宙の仕組は常に調和のとれた原子核の集合体（EXA PIECO）が、その前の段階のそれをサポートし、その原子核の集合体（EXA PIECO）同士が互いにスタディをするというのが全てに行き渡っています。これは人間の細胞、分子、原子、全て同じです。

そういう形で全部がお互いにサポートし合い、それが宇宙中に行き渡っているわけ

第六章　地球文化の未来——時空間移動（テレポーテーション）を経て

です。それは太陽と地球の関係も同じです。
実際にあらゆる星や太陽にも、原子核の集合体（EXA PIECO）があります。そして、地球や金星、水星など太陽系の惑星は、皆、素晴らしいレベルで太陽の重心から発振している原子核の集合体（EXA PIECO）の振動波とコミュニケーションをしています。
地球で言われているような、物理的な重力とか引力とかいう非常に狭い範囲の振動波というのは物質波と磁気波の複合波だけになってしまいます。また「力」の関係というのはほんの一部なのです。
もし「力」という解釈をするならば、それは「波動」の形態の関係性から生ずる一つの現象に過ぎません。どの「波動」の形態の、どの周波数・波長・波形・振幅で同調しているのか、あるいはどこの段階で干渉をしながら、どこの段階で同調したかというのが、本来正確な言い方だと思います。「力」というのは、物質波の、ある周波数の状態を言っている、というのが正確な言い方です。「意識」と「意志」がもともと存在し、全てにおいてそのコミュニケーションで宇宙の仕組が成り立っているわけ

141

です。

例えば太陽があり、地球という惑星がありますが、太陽でスタディをしている原子核の集合体（EXA PIECO）と地球でスタディをしている原子核の集合体（EXA PIECO）では、人間でスタディをしている段階と動物がスタディをしている段階の ように少し内容が異なりますが、とにかく役割が違うわけです。そして、成長してそのスタディをしている段階が大きく転換する時、それまでの状態が終わって、次の段階へと大きく質の変換が生じる時には次のようなことになります。

地球でのスタディが終わった時に起きること

人間の場合には、地球上空約80kmのところを越えて時空間移動をするというように先にも触れました。輪廻転生を何回も繰り返し、地球という星を選んでのスタディが終わる……。そのレベルまで来られる状態は $10^{88 万 \times 78}$ Hz以上です。

ですから $10^{1 億}$ Hzとか $10^{10 億}$ Hzとか $10^{1 兆}$ Hzという周波数のレベルの状態になれば、その

第六章　地球文化の未来──時空間移動（テレポーテーション）を経て

新しい地球に生まれ変わる段階が近づいている

「本質（原子核の集合体）」が選択をすれば、もう肉体化しないで他の星へテレポーテーションをし、今度は全く違うスタディをするということができるわけです。

しかし、周波数がいくら高くなってもそれに関係なく、地球上に肉体をもって役割をしている方も中にはあります。自分の「本質」が地球上に肉体を持ってある役割をするという選択をしたのです。これは常に、「本質」の選択の問題のようです。

人間がスタディを終わって大きく質の変換をする時には、他の星に時空間移動したり、自分の原子核の集合体（EXA PIECO）が最初に発生した星に戻り、そこに存在する本体と合体するということもあります。いろいろな選択をするわけです。

地球についても同様のことが言えます。

今、地球が大きく変化していますが、現実に周波数を情報で得ていきますと、地球の原子核の集合体（EXA PIECO）も毎月周波数が変化しています。もっと細かく

変化していることがとらえられると思いますが、大変な周波数の上がり方で、地球が予定通りの周波数に変換する時期が迫ってきています。

地球という星を選んでいる人間の原子核の集合体（EXA PIECO）が、スタディを終わって時空間移動する時の周波数は、正確に言いますと、最低$10^{66万×78}$Hz＝$10^{66,300,000}$Hz以上、および、原子核の集合体（EXA PIECO）の原子核の数は、n＋p＝$10^{66,300,000}$個以上です。また、これと同様に今回地球が時空間移動する時の周波数は、$10^{10万×78}$Hzです。だいたい10の780兆乗Hzです。

$10^{780兆}$Hzになって地球の原子核の集合体（EXA PIECO）が安定しますと、それは新しい地球に生まれ変わるという段階になります。星としての役割の質が全然(まった)く変わるわけです。先ほど触れましたように、星同士も常に他の星をサポートしているわけです。その星のレベルの周波数になる前の段階の星を常にサポートしています。

※ $\begin{cases} n=neutron（中性子）／p=proton（陽子） \\ n+p=（中性子＋陽子）＝原子核 \end{cases}$

第六章 地球文化の未来──時空間移動（テレポーテーション）を経て

ですから問題は、地球の人間の「意識」がそういうことに気づき、「顕在意識」が「本質」に気づいて、その「意識」の変換を始めるかどうかということです。銀河系内には1150億の、地球と同じレベルかそれ以下の振動波で、かなり反するような、自然をまだよりよく理解できていない星が存在しているわけです。地球はそれ以下の周波数のレベルの星々をサポートするという働きをするわけです。そして今度は地球が、大転換をするという時期が来ているわけです。

地球の時空間移動を起こす「波動」・ギマネ波

10⁷⁸⁰ヘルツになった後は、今度は地球が時空間移動（テレポーテーション）するということが起きます。これは大変なことです。地球自体が時空間移動（テレポーテーション）をするということは、地球の今までの科学、文化でいきますと、非常に理解しにくいことです。そこでちょっと、スプーン曲げを思い出していただきたいのですが……スプーン曲げに使われているエネルギー、あれには物質波、電磁波、磁気波とい

145

う「波動」の形態以外に、違う「波動」の形態が使われています。スプーン曲げができる方というのは、本人はその原理に気がついていませんが、そのコツを知っているわけです。その「波動」というのは宇宙語で（GIMANEH）波という「波動」です。「波動」の形態の中にはいろいろな役割があるのですが、そのギマネ波というのは非常に大事な役割をしています。クォークから中性子、陽子、電子が生まれていますが、その中性子、陽子、電子を、クォークに戻す役割をしている「波動」の形態を「ギマネ波」と言います。

このギマネ波というのは、スプーンが曲がってしまうとそれを続けているとスプーンのその部分が溶けて折れてしまいます。銀なら銀、ニッケルならニッケル、あるいはクロムならクロムというものでできているスプーンが、一部クォークのエネルギーに戻される部分が起きて、その部分は消滅してしまう。その結果切れてしまう。

スプーンでスタディをしている原子核の集合体（EXA PIECO）があります。ですから、これを無理矢理に意地で曲げる、手で曲げるというのは、人間の傲慢さで、顕在意識でやるわけです。スプーンとしてスタディをしている原子核の集合体

第六章　地球文化の未来──時空間移動（テレポーテーション）を経て

(EXA PIECO) 自体にとってみれば、人間の方の曲げようとしている「意識」が《調和のとれた「意識」である》ということに意味があるのです。その役割さえあれば、スプーンの本体、「本質」は、それを受け入れてくれて曲がってくれます。

地球では動物、植物、鉱物という分類を便宜的に使ってしまっていますので、「意識」とか「意志」の問題が非常に歪んだ形で理解されています。

中性子・陽子が、「意識」と「意志」なのですから、全ての存在物は全部「意識」と「意志」で構成されています。しかも、それらの「意識」と「意志」を構成し、受振・発振しながら情報を得てサポートしたり、コントロールしながらスタディをしている「意識」と「意志」があります。

それが原子核の集合体 (EXA PIECO) です。どんなものにも必ず存在しています。ですから、スプーンに曲がってもらっているのであって、曲げているのではないのです。スプーンを曲げている方が気づいていないだけです。気づいている方もいます。

小さい頃有名だった清田さんという方に、先日お会いしてお話ししたのですが、や

147

はりご本人はそのことを知ってらっしゃいました。つまり、「スプーンに頼んで曲がってもらっているということは、自分ではわかっていました」というのです。これは明らかに「本質」同士のコミュニケーションで、彼はそういう役割があったからそれをやっているのです。いたずらで、ただわがままでやっているのではないわけです。要するにそれを示すことで、自然界にはそういう目に見えないエネルギーがあって、人間にもそういう能力があることを示しているわけです。

サイババさんなども、そういう役割をしているのです。今の地球の文化で自然界を理解しているのはほんの一部で、多くのものは未だ理解されていないのです。それを少しでもわかってもらうために、そのような現象を起こす役割を持った方が存在しているわけです。

話を戻しますと、ギマネ波以外にさらに10種類くらいの波動の形態を使わないと、あらゆる物の時空間移動ということはできません。私どもはふだん気づいていませんが、実際にはその一部を使っているのです。使っていることに気づいていないだけなのです。

第六章　地球文化の未来──時空間移動（テレポーテーション）を経て

地球でロケットを飛ばす時に、ロケットの形をしているものがドーンと発射され、その形のまま強引に飛んでいって目的地に着くわけですが、これは大変未熟なテレポーテーションの形態で移動していると言えます。しかも、中性子と電子を非常に歪めながらの時空間移動の形態です。五感をベースにし、宇宙の仕組を全て現象としてとらえ理解しようとするこの文化では、その行為が自然の法則に反しているかどうかの自覚もなく、自我の欲求のおもむくままに研究開発しているのです。こうして私達人間にとって都合のよい文化を築いてきた結果、このような地球になってしまったということです。

少なくとも地球でやっている方法というのは、「波動」で理解していません。そして「波動」にはどういう役割があり、どういう種類があるのか、また、あらゆる現象がその波動の組合せによって複合波となり、結果を生じていることにも気づいていません。

宇宙からの情報では、波動の形態は約10[85]種類もあると言われています。そしてこの各種の波動の形態を理解し、応用可能な範囲は、その星の文化にとって自然の法則

149

にかなって調和のとれた度合に応じて、波動を直接コントロールできるようになり、エネルギーの調節や分かち合いなどを行えるようになります。

「時間」と「空間」を切り離さずに考えよう

ところで、「時間」というのは「空間」と切り離せないものであり、エネルギーです。ある意味ではクォークのエネルギーが「時間」と「空間」を構成していると言っていいでしょう。

「時間」はクォークの振動波で「空間」の広がりを伝えています。クォークというのは宇宙中どこにでも充満し、全てに行き渡っています。太陽の中であろうが真空中であろうが、星の中でも外でも大気中でも、あるいは人間の体の中でも原子核の集合体（EXA PIECO）の中でも、クォークは全部に行き渡っています。宇宙はまさにクォークの海です。

例えば皆さんも時空間移動する時には、ギマネ波の振動波でその存在がいったんク

第六章　地球文化の未来──時空間移動（テレポーテーション）を経て

オークのエネルギーに戻されて消滅します。そして宇宙中どこにでも存在しているクオークの振動波で伝わります。ある時点、千光年先にあるクォークの振動波に、瞬時ではありませんが伝わります。

例えば、プレアデス星団のレベルでは千光年で60〜70分、また、カシオペア座のレベルでは30分〜40分くらいかかるようです。そのくらいの速度なので、近い所でしたら瞬時と言っていいくらいで伝わります。一光年、二光年の距離でしたら、地球上では信じられないほど瞬時に伝わってしまいます。

クォークの振動波がギマネ波で瞬時にその存在をクォークに戻した時、その先の目的地で再生するわけです。この時実際には、テレポーテーションする目的地からのサポートが必要なのです。そのサポートがないとエネルギーとしては実際にテレポーテーションすることができないのです。

ですから、クォークの状態に戻されて、失くなった状態に見えたものは、移動して千光年先の目的地で再生されたという結果が起きるわけです。そのような遠い距離を移動する時空間移動というのは、そういう方法でない限り、到底できません。そし

て、それを可能にするには「時間」と「空間」が本質的に理解されないと不可能です。

地球では便宜的に動物、植物、鉱物の分類をしていますが、それと同じように「時間」と「空間」も切り離してしまって、時計のような道具を作ってしまっているわけです。自然の法則では「時間」だけ切り離されているというのはあり得ないのです。これはあくまでも、地球と同じレベルか、それより未熟な文化の星だけが時計という道具を使っているのです。UFOで時空間移動ができるレベルの文化では、そのようなことはないそうです。時間だけを切り離し、それを理解しようとして時計という道具を作っている文化は、自然の理解がまだ非常に浅い段階の星なのです。地球が時空間移動をしてしまった後の文化では、時計がなくなる時代がきます。これは本当に近い将来ですね。

時空間移動の本質を理解しよう

それは「時間」と「空間」そのものが一体化していること、あるいはその典型的な

第六章　地球文化の未来──時空間移動（テレポーテーション）を経て

ものが陽子だということ、また中性子が「意識」で陽子が「意志」だということ、そういったことが全て理解されて、初めて時空間が自由に移動できる状態になると言われます。

しかし、今の地球レベルの文化ですと、テレポーテーションの本質が全然わかっていませんので、突然地球が消滅して三万三千光年時空間移動し、銀河の重心近いところに現われるという、そういう結果が生まれてしまうわけです。その時期が迫っているわけです。

これは調和がとれた文化をもっているずっと進んだ星、例えばカシオペア座のある星のレベルになると、もう「時間」も「空間」も本質的に理解されています。地球の今の文化よりも一万年くらい進んだ文化なので、全体の宇宙の仕組の理解の度合もかなり高まり、周波数が高い文化になっているのです。ですから、自分の星がいつ時空間移動する時期に来て、次のステップを踏むかということを知っています。承知していますから、その星が時空間移動したら、その星の中で周波数の低い人たちに都合の悪い状態になる場合には、事前にUFOで他の星に移動するということを行ってい

153

るわけです。

地球の今の文化では残念ながら「時間」と「空間」を本質的に理解できていませんから、突然テレポーテーションが起きてしまうことになるわけです。

厳密に言えば、ロケットとか飛行機が飛んでいるのも時空間移動です。同じように説明はできますが、いずれにしても遠い距離をギマネ波のような振動波を使ってコントロールするような、物の状態を波動で自由にコントロールすることができない文化ですから、突然そういうことが起きてしまうと感じるわけです。

時空間移動した先で再生できるよう「本質」を磨こう

例えばUFOが他の星へ時空間移動をする時に、地球の人間がそのUFOに乗ってそのまま移動できるかというとそうではありません。時空間移動をするというのはそういうものではないのです。UFOがもっている原子核の集合体(EXA PIECO)、つまり存在している「本質」と同調できるだけのレベルに本人の原子核

第六章　地球文化の未来──時空間移動（テレポーテーション）を経て

の集合体（EXA PIECO）が成長していないと、一緒に時空間移動することはできません。UFOと一緒にクォークには戻されますが、戻された後、時空間移動するのはUFOだけで、本人はクォークに戻されたままの場合もあります。自然のエネルギーに戻されたままになってしまうわけです。ですから問題は、同調して、いつも周波数・波長・波形・振幅が一体化している状態でいること、これが基本のようです。

地球も、時空間移動する時はどうしてもいったん完全にクォークに戻るわけです。

地球上に存在する全ての存在物はいったんクォークに戻されて、三万三千光年先で再生されるわけです。再生されるかされないかというのは、「本質」がどこまでスタディをして、地球という原子核の集合体（EXA PIECO）の振動波と同調できる状態になっているかということで決まります。再生されるかされないかの状態は、最終的には自然の法則で起きてしまいます。

宇宙の仕組で存在物というのは、クォークのエネルギーの回転運動によって物質が生まれ、また物質が回転運動をしてエネルギーを生み出しています。その繰り返しです。

ですから、クォークが回転運動をして物質を生んでいるのです。中性子、陽子という物質を生み、電子を生んで物体化していくわけです。が物質化していくだけであれば、クォークは安定した状態でエネルギーに変換していません。物質も今度はクォークというエネルギーに戻ることがあるわけです。自然界の中で、エネルギーから物質、物質からエネルギー、それの繰り返しで常に循環が起きているということです。ですから、調和のとれた状態でエネルギーが回転運動をし、物質化したものには、その物質を選択してスタディをしている原子核の集合体（EXA PIECO）がたくさんあるわけです。

地球で物質化しているものは電子を伴っていないと確認できないわけですが、中性子も陽子も物質で、エネルギーではありません。これについても地球の科学ではやはり理解されていないのですが、物質というのは、エネルギーは保有していますが、エネルギーそのものではないのです。その物質が回転運動をするとエネルギーを生む。逆にエネルギーも振動波で球体の回転運動をしているわけです。そのエネルギーが回転運動をすると物質を生む、その繰り返しになっているわけですから、常に循環

第六章　地球文化の未来――時空間移動（テレポーテーション）を経て

をしています。
　その循環の一つに、原子核の集合体（EXA PIECO）という調和のとれた状態で振動波を持ち、物質波、電磁波、磁気波の振動波を出しているエネルギー体があります。肉体を持っている持っていないにかかわらず、地球の周りに何千億の原子核の集合体（EXA PIECO）がスタディをして存在しているわけですが、地球が時空間移動する時に全てが全部一緒にいったんクォークに戻されます。そしてその原子核の集合体（EXA PIECO）の周波数が非常に高く、地球と同調できる状態であれば、地球が再生された時一緒に再生されます。
　それがもし、地球と同調できない場合にはクォークのままで自然のエネルギーとなります。「波動」で同調できるかできないかが常にキイになるのです。周波数・波長・波形・振幅、そういったものが自然の法則にかなう調和のとれた形で、どんどん精妙な高い周波数に変換していれば必ず同調しているわけです。その繰り返しです。
　今私達ができること、それは地球が大きく生まれ変わって新しい調和のとれた文化になる時、役割ができるようにするために、私達が瞬間に「決心」すれば良いわけで

す。「意識」の変換をし、顕在意識が自然の法則にかなった調和のとれた状態になれば、そして常に「本質」と同調すれば周波数はどんどん上がっていきます。そしてさらに情報として入ってきたものを現実に実行すれば、原子核の集合体（EXA PIECO）の原子核の数が増えてゆきます。その繰り返しになるわけですから、ます ます周波数が上がっていきます。原子核の集合体（EXA PIECO）が、いつでも地球と同調し、時空間移動ができ、新しい文化の中で役割ができるようになるということです。

第七章

宇宙の法則と波動

宇宙の時空間は〈EHKO〉という原子核の集合体

今まで述べたことがらを本章では少し整理し、宇宙のパラダイムについて簡単にお伝えしたいと思います。

まず地球の現代文化のレベルでは、おおまかに言いまして宇宙の時空間の本質は、原子核の集合体（EXA PIECO）であると受け止めるのが、わかりやすいという情報です。つまりそれは、宇宙がクォーク（エネルギー）の海であるという理解度に対応しています。

従って、原子核の集合体（EXA PIECO）の構造とはどのようなものであるかを、ここでは少し説明させていただきます。

前に人間のボディを選択するレベルになった原子核の集合体（EXA PIECO）を12の球体断面で示しましたが、本当は、原子核の集合体（EXA PIECO）の構造は8層になっています。その中のアストラル帯という層の構造部分は、人間の場合、特

第七章　宇宙の法則と波動

図表16　EXA PIECO断面構造説明図
　　　　　　　　　（A－A断面）

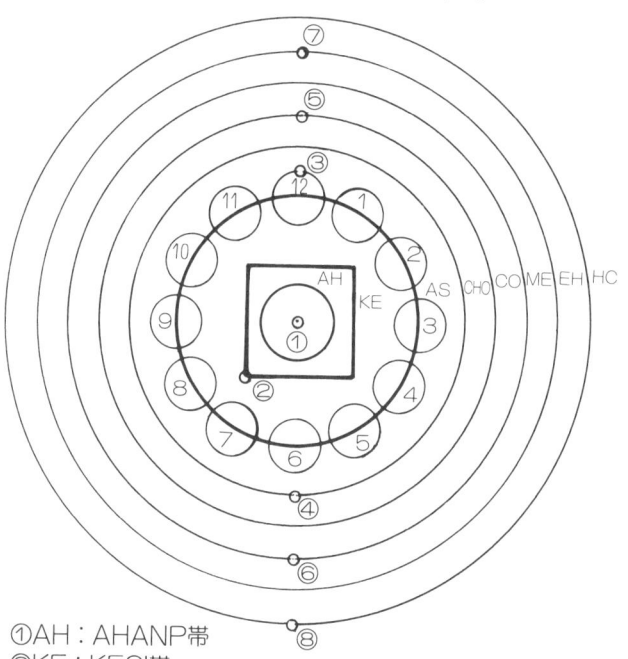

①AH：AHANP帯
②KE：KECI帯
③AS：ASTLAL帯　　　⑧→①へ接続した空間スパイラル
④CHO：CHOAD帯
⑤CO：COSAL帯
⑥ME：MENTAR帯
⑦EH：EHTEL帯
⑧HC：HCIN帯

　　　　EXA PIECOのCEK図－人間－

161

図表17 EXA PIECO立体説明図

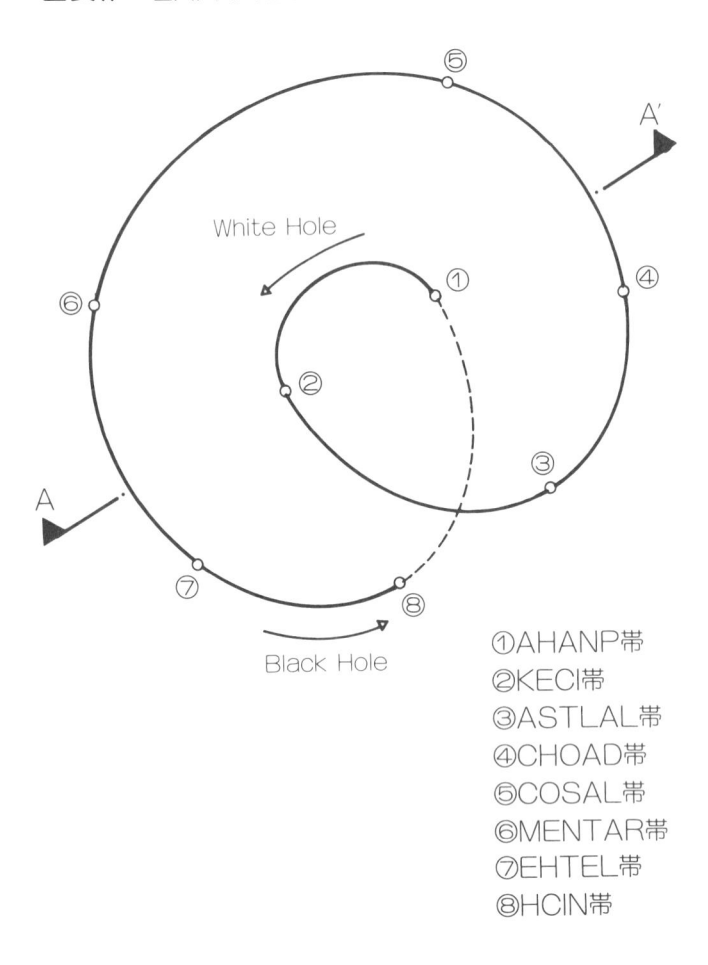

White Hole

Black Hole

A
A'

①AHANP帯
②KECI帯
③ASTLAL帯
④CHOAD帯
⑤COSAL帯
⑥MENTAR帯
⑦EHTEL帯
⑧HCIN帯

第七章　宇宙の法則と波動

に重要な関わりがあるためにクローズアップして取り上げていましたが、実際には図表16、17のようになっています（ただし図は共に略図です）。

そして、その構造の詳細は省略しますが、原子核の集合体（EXA PIECO）のアストラル帯が12球体断面のレベルになってから、さらに宇宙の仕組を理解して、周波数が高くなり、質の変換を12段階繰り返します。最終的に究極の宇宙意識（と意志）と言える（EHKO）という原子核の集合体（EXA PIECO）のレベルに到達し、宇宙の時空間全体を総合的にコントロールする存在となり、その大きさは宇宙そのものであり、完全に宇宙と一体化し、成長はそこで終了するそうです。

即ち、宇宙（時空間）とは、（EHKO）の原子核の集合体そのものであり、その中に全てが存在し、そのそれぞれの存在物（中性子、陽子、電子、原子核、原子、分子、細胞……）には、全て原子核の集合体（EXA PIECO）が選択してスタディをしており、それら全てが（EHKO）になるまでスタディし続けているとのことです。

以下簡単に、原子核の集合体（EXA PIECO）が12球体断面になってからの質の段階表を示します（図表18）。

図表18

原子核の集合体（EXA PIECO）が12球体断面になってからの質の段階表

	EXA PIECOの名称	スタディの対象物	KECI帯
0	HMLAK	雲	
1	GINUP	人間	・
2	HRUFOZ	〃	―
3	CEFJS	〃	△
4	KEHV	〃	□
5	DOHS	〃	5角形
6	HSANU	星	6角形
7	JOT	〃	7角形
8	CIOP	銀河	8角形
9	GHOKL	銀河グループ	9角形
10	CEG	銀河グループ	10角形
11	DHLO	銀河全て	11角形
12	EHKO	宇宙全て	12角形

第七章　宇宙の法則と波動

宇宙の時空間＝〈EHKO〉の原子核の集合体（EXA PIECO）

ここで、宇宙の構造を簡単に説明しますと、図表19のような情報となります。ただしこの図は、宇宙が8層――宇宙全てを含む情報層（JEFISIFUM）――構造になっており、各層は正確には原子核の集合体（EXA PIECO）、①（AHANP）帯から⑧（HCIN）帯までの各種構成要素――例えば、中性子、陽子、電子、原子核など――の回転速度や形態、組み合わせによる複雑な振動波の時空間構造になっています。各層のおおまかな仕組は、図からおわかりのように、端から順番に〈HCIN〉帯――〈JEFISIFUM〉の〈AHANP〉：地球から約1.8億光年――から始まって、宇宙の重心にある〈EHKO〉の〈AHANP〉帯――地球から約161.8億光年――の層までです。宇宙の全ての情報がそれぞれの層に振動波として記録され、コントロールされております。宇宙の内側の層に進むにつれて、〈EHKO〉の情報およびコントロールに近いより周波数の高い宇宙の法則の、精密で正確な情報およびエネルギー（振動波）に同調し、結果

165

図表19　宇宙の情報源(EHKOのEXA PIECO)
＝宇宙の情報層(JEFISIFUM)

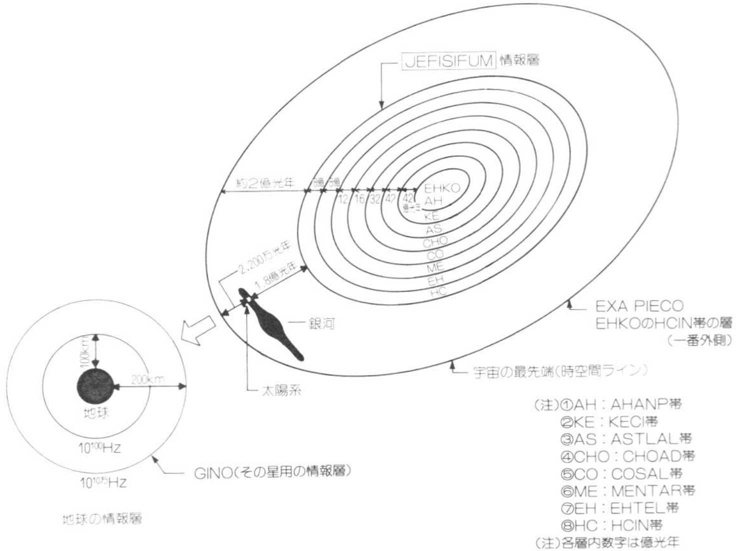
JEFISIFUM 情報層
約2億光年
EHKO
AH
KE
AS
CHO
CO
ME
EH
HC
12
16
32
42
42
2,200万光年
1.8億光年
銀河
太陽系
EXA PIECO
EHKOのHCIN帯の層
(一番外側)
宇宙の最先端(時空間ライン)
100km
200km
地球
10^{100}Hz
$10^{10万}$Hz
GINO(その星用の情報層)
地球の情報層
(注)①AH：AHANP帯
②KE：KECI帯
③AS：ASTLAL帯
④CHO：CHOAD帯
⑤CO：COSAL帯
⑥ME：MENTAR帯
⑦EH：EHTEL帯
⑧HC：HCIN帯
(注)各層内数字は億光年

第七章　宇宙の法則と波動

が得られるという仕組になっております。従って周波数の高い調和のとれた状態で安定している原子核の集合体（EXA PIECO）は、常にそのレベルに応じた層（またはそれ以下）と同調して、情報およびエネルギーが入ります。ただし現在地球人でそれが可能な人は、まだ三人しかいません。

過去においては、例えばエドガーケイシー、日蓮、空海、荘子、孔子が⑧（HCIN）帯層だけと同調し、キリストは⑦（ETEL エーテル）帯層まで、仏陀は⑤（COSAL コーザル）帯層までと同調可能だったそうです。

またスウェーデンボルグのようなボディに身近な情報は、（GINO ギノー）という地球から非常に近い地上100km（10^{100}Hzくらいの周波数）のところにあるその星用の情報およびエネルギー層と同調していたようです。

また現代のあらゆる情報を得ている方の九五％以上はこの（GINO）から情報を得ているということです。つまり情報の精度（正確さ）は、どの層の振動波と同調して得たかによっては、同じ問題でも、答や解決の仕方、対応の方法が異なってきまし、同じ層でも、本人が安定して調和のとれた高い周波数で同調し続けて、いかに自

我の振動波を発振せず、願望や、推理、推測を入れないで受振できるかにかかっているようです。

さて、時空間の構造は、重心の①〈EHKO〉の〈AHANP〉帯と、一番外側の〈HCIN〉帯とがつながっています。即ち、〈HCIN〉帯の先の空間層は、〈AHANP〉帯だという情報ですから、宇宙の詳細はクラインのビンを組み合わせたような、大変魅力的な超立体的時空間のようです。時空間の構造について本書でお伝えするのはこのくらいにして、さらに身近で具体的な原子核の集合体〈EXA PIECO〉に関わる情報をお伝えいたします。

人間のボディの構造

これは、本質の原子核の集合体〈EXA PIECO〉と同調して、人間のボディの構造がどのような状況か情報を得たものです。図表20、21のように、地球の人間のボディは、前にも述べました通り8層の振動体になっており、一番中心に肉体①

第七章　宇宙の法則と波動

（AHANP）体があり、それから順番に、②（HCIN）体、③（EHTEL）体、④（ASTLAL）体、⑤（MENTAR）体、⑥（COSAL）体、⑦（KECI）体、⑧（CHOAD）体と、原子核の集合体（EXA PIECO）の構成要素と同質（振動波）ですが、その層の順番が異なります。そして、それらのうち、（HCIN）体と（KECI）体の振動波の層だけは、生まれたときからボディと原子核の集合体（EXA PIECO）が結ばれていませんが、他の層は全てメビウス状にねじられながら全部つながっているとのことです。

これは表現を変えて言いますと、ボディの振動波の層（OEK）と原子核の集合体（EXA PIECO）の振動波の層（OEK）はエネルギーの流れとしては、面対称に互いに交流しており、空間的にはクラインのビン状にねじれて、各層がつながっているという情報です。構造の詳細は、現在立体の模型を製作中ですが、この問題は、宇宙の時空間構造と生命の本質および生命体との関係、さらに物質とエネルギーの関係、あるいはエントロピー減少装置（蘇生化装置）との関係、フリーエネルギーコントロール問題など、宇宙の全てのパラダイムに関わることがらですので、いずれ機会をみ

図表20

EXA PIECOのCEKとボディのCEKの振動波がメビウス状にねじれて波動でつながっている表

※ CEK ＝振動波の層の宇宙語

EXA PIECOの CEKの順		ボディの CEKの順	周波数	波動の形態	ボディからの 距離
AHANP帯	Ⅰ	AHANP体	$2.513×10^5$ Hz	CEGIN	0cm～10cm
KECI帯	Ⅱ	HCIN体	$2.315×10^{10}$ Hz	CEGIN	10cm～20cm
ASTLAL帯	Ⅲ	EHTEL体	$2.756×10^{12}$ Hz	DILEKA	20cm～40cm
CHOAD帯	Ⅳ	ASTLAL体	$2.568×10^{18}$ Hz	DILEKA	40cm～50cm
COSAL帯	Ⅴ	MENTAR体	$2.473×10^{22}$ Hz	KEGOT	50cm～60cm
MENTAR帯	Ⅵ	COSAL体	$2.146×10^{36}$ Hz	KEGOT	60cm～70cm
EHTEL帯	Ⅶ	KECI体	$2.148×10^{42}$ Hz	KEGOT DILEKA CEGIN	70cm～90cm
HCIN帯	Ⅷ	CHOAD体	$2.138×10^{318}$ Hz	KEGOT DILEKA CEGIN GIMANEH DILEGJ FIEGHOK HRINU MEHVOF	90cm～100cm

第七章　宇宙の法則と波動

図表21　BODYのCEK図

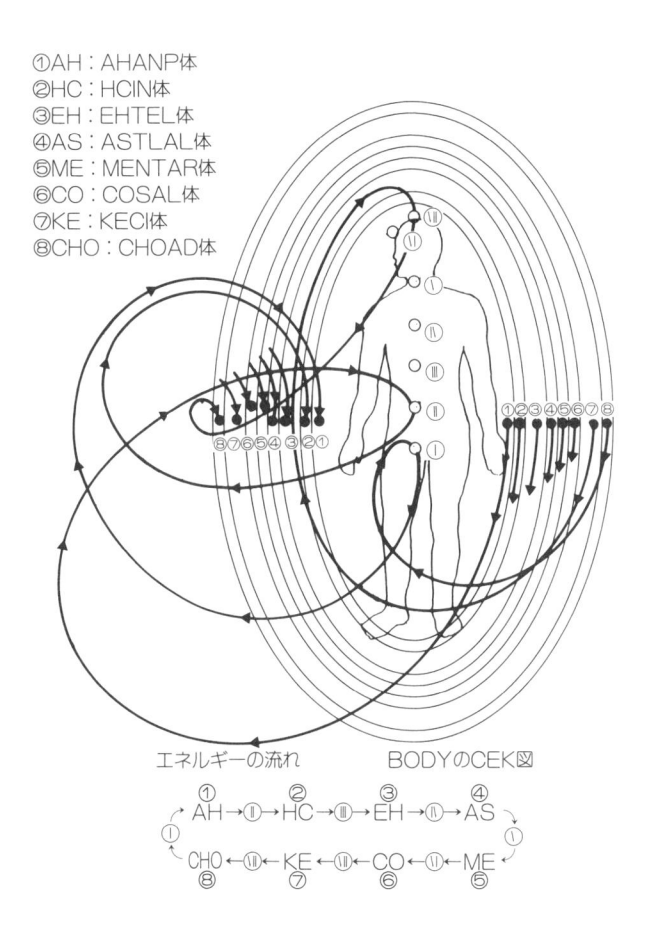

①AH：AHANP体
②HC：HCIN体
③EH：EHTEL体
④AS：ASTLAL体
⑤ME：MENTAR体
⑥CO：COSAL体
⑦KE：KECI体
⑧CHO：CHOAD体

エネルギーの流れ　　BODYのCEK図

$$\begin{array}{c} \overset{①}{AH} \to Ⅱ \to \overset{②}{HC} \to Ⅲ \to \overset{③}{EH} \to Ⅳ \to \overset{④}{AS} \\ \overset{⑧}{CHO} \leftarrow Ⅶ \leftarrow \overset{⑦}{KE} \leftarrow Ⅷ \leftarrow \overset{⑥}{CO} \leftarrow Ⅴ \leftarrow \overset{⑤}{ME} \end{array}$$

てお伝えしたいと思います。

そこで前述の〈HIN〉体と〈KEI〉体の件に戻りますと、なぜこの2層だけがつながっていないかの理由があります。

実は、これらがきちっとつながっていると、宇宙の本質からの〈JEFISIFUM〉の層と同調し情報が入り、エネルギーを自由にコントロールできるようになりますが、現代の地球人のようなエゴの顕在意識では、自我が強すぎて、悪用してしまう可能性のある不調和な振動波のため、つながらないのです。

つまり赤ちゃんの時のように、原子核の集合体（EXA PIECO）と同調した高い周波数のまま、自然と調和のとれた状態で自我に目覚め、人間が生まれた時から成長してゆく過程で、自分の本来の役割、即ち原子核の集合体（EXA PIECO）のプログラム通り顕在意識がそれに気づき、自覚をし、実行をしだしたら、必ずその自然の法則と調和のとれた度合いに応じて、少しずつボディの〈HIN〉体と〈KEI〉体は、原子核の集合体（EXA PIECO）のそれとつながり始めます。そして、それは大変大きな力（force）となります。ちなみに、エドガーケイシー、日蓮、空海、

第七章　宇宙の法則と波動

荘子、孔子は〈KEO〉体だけがつながっており、キリスト、仏陀は〈HOI〉体もつながっていたそうです。以下、簡単にそのJOINT（ジョイント）の内容を説明いたします。

次に原子核の集合体〈EXA PIECO〉の鉱物、植物、動物、雲までの構造変換を簡略に図示しておきます。つまりこの後、人間のボディを選択してスタディをする〈EXA PIECO〉に構造変換します。

また、図表27、28に、宇宙に存在するエネルギーの種類の段階の一部と波動の形態の種類の一部を図表で示しておきます。これらを正しく理解できれば蘇生化（エントロピー減少）やフリーエネルギー、その他を自由にコントロールできるようです。可能性は無限大です。ただし自然の法則にかなって調和のとれた顕在意識が前提だそうです。関心のある方は是非研究してみてください。

図表22 JOINTの説明

FECHN……FIEGHOK波で出来ている
　　$2.148×10^{34}Hz$
　　　　　↓

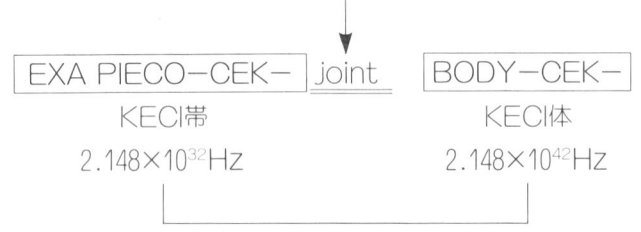

| EXA PIECO−CEK− | joint | BODY−CEK− |

　　KECI帯　　　　　　　　　　KECI体
　$2.148×10^{32}Hz$　　　　　$2.148×10^{42}Hz$

周波数が10桁ずれている為同調不可能（つながらない）

（注）1．従ってKECI帯（体）の波動がたまに10^{34}になっている
　　　人の情報は、JEFISIFUMから得ていることがあり
　　　ます。

ANTASKALANA……FIEGHOK波で出来ている
　　$2.315×10^{12}Hz$
　　　　　↓

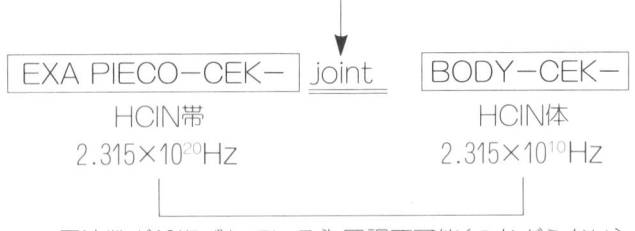

| EXA PIECO−CEK− | joint | BODY−CEK− |

　　HCIN帯　　　　　　　　　　HCIN体
　$2.315×10^{20}Hz$　　　　　$2.315×10^{10}Hz$

周波数が10桁ずれている為同調不可能（つながらない）

（注）2．HCIN帯（体）の波動が$10^{12}Hz$になっている人は、
　　　　JEFISIFUMの情報が入っていることが解かります。

第七章　宇宙の法則と波動

図表23　EXA PIECOとBODY－鉱物－

- EXA PIECOのASTLAL体は6つの球体断面形態
- スタディの段階は
  - 0段階
  - 1段階
  - 2段階
  - 3段階

  4つの段階

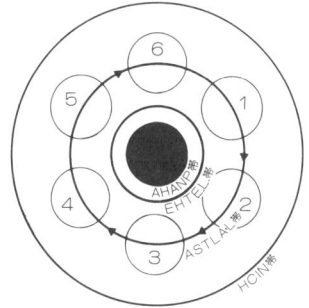

EXA PIECOのCEK図－鉱物－

BODYのCEK図－鉱物－

図表24　EXA PIECOとBODY－植物－

・EXA PIECOのASTLAL体は6つの球体断面形態
・スタディの段階は

$$\left.\begin{array}{l}0段階\\1段階\\2段階\\3段階\\4段階\end{array}\right\}5つの段階$$

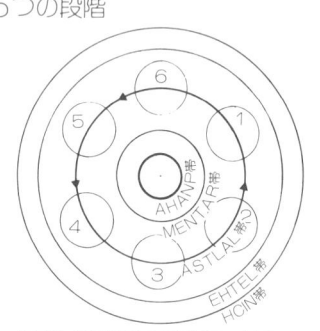

EXA PIECOのCEK図－植物－

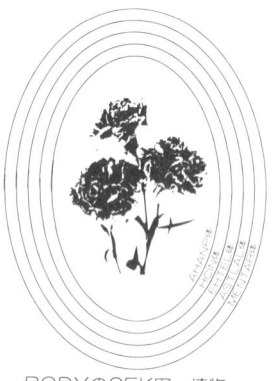

BODYのCEK図－植物－

第七章　宇宙の法則と波動

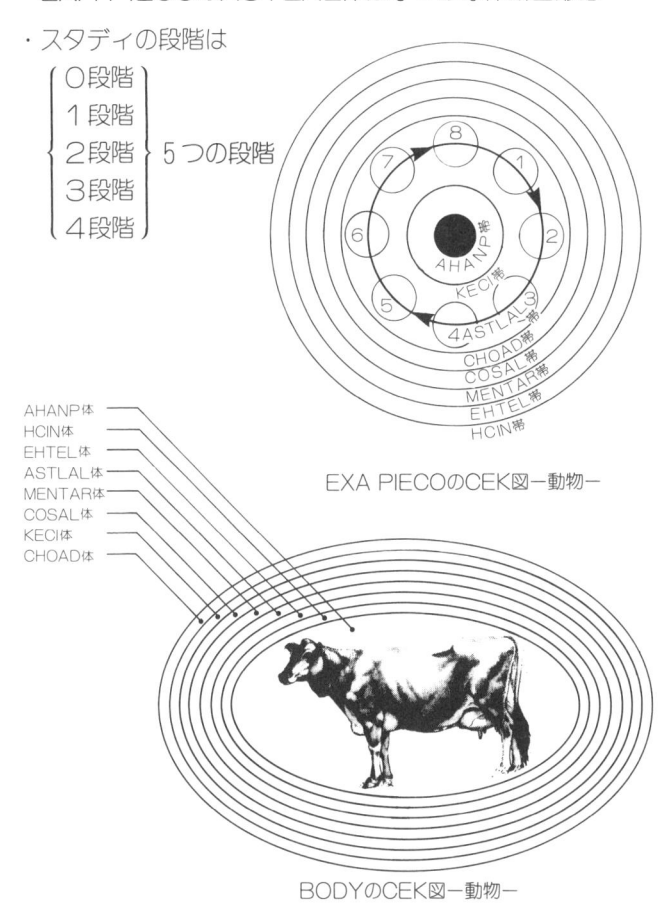

図表25　EXA PIECOとBODY－動物－

・EXA PIECOのASTLAL体は8つの球体断面形態

・スタディの段階は

$\left.\begin{array}{l}\text{0段階}\\\text{1段階}\\\text{2段階}\\\text{3段階}\\\text{4段階}\end{array}\right\}$ 5つの段階

EXA PIECOのCEK図－動物－

AHANP体
HCIN体
EHTEL体
ASTLAL体
MENTAR体
COSAL体
KECI体
CHOAD体

BODYのCEK図－動物－

図表26　EXA PIECOとBODY－雲－

雲のEXA PIECOは動物のスタディの後，雲を選択しスタディする。
スタディの段階 $\begin{Bmatrix} 0\text{-段階} \\ 1\text{-段階} \end{Bmatrix}$ 2つの段階

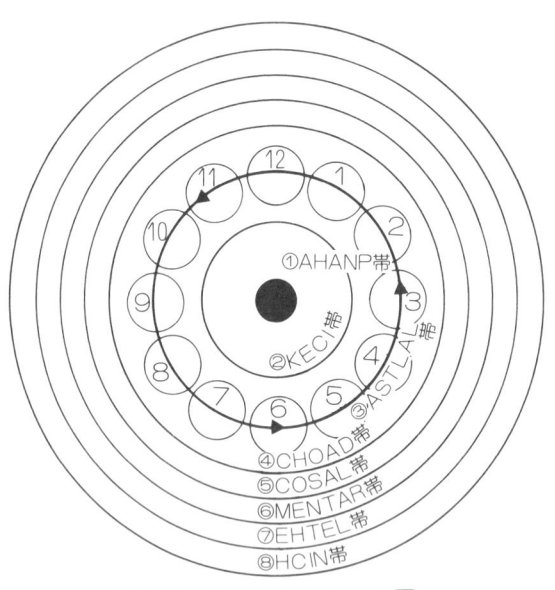

①AHANP帯
②KECI帯
③ASILAL帯
④CHOAD帯
⑤COSAL帯
⑥MENTAR帯
⑦EHTEL帯
⑧HCIN帯

EXA PIECOのCEK図－雲－

第七章　宇宙の法則と波動

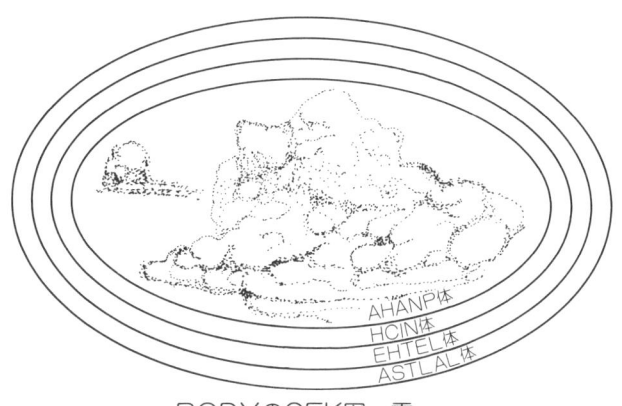

BODYのCEK図－雲－

(labels: AHANP体 / HCIN体 / EHTEL体 / ASTLAL体)

雲の選択（動物でのスタディ後雲でスタディする）
・bodyのFANT (DILEKA, CEGIN) 2種のみ
・12球体断面構造に初めて変換する。(0段階, 1段階)
・雲の周波数

body	地上からの高さ	EXA PIECO
$10^{3\sim5}$Hz	300M	$(10\to\bigcirc)10万回$ $n+p=10^{12}$個
$10^{6\sim7}$Hz	500M	$(10\to\bigcirc)20万回$ $n+p=10^{15}$個
$10^{8\sim9}$Hz	2,000M	$(10\to\bigcirc)1,000万回$ $n+p=10^{16}$個
$10^{10\sim12}$Hz	3,000M	$(10\to\bigcirc)1億回$ $n+p=10^{17}$個
$10^{13\sim15}$Hz	5,000M	$(10\to\bigcirc)10億回$ $n+p=10^{18}$個
$10^{16\sim17}$Hz	7,000M	$(10\to\bigcirc)20億回$ $n+p=10^{19}$個
$10^{17\sim18}$Hz	10,000M	$(10\to\bigcirc)50億回$ $n+p=10^{20}$個
$10^{19\sim24}$Hz	30,000M	$(10\to\bigcirc)10兆回$ $n+p=10^{28}$個

図表27　宇宙のエネルギーの種類の一部

E.G（エネルギー）とは＝波動を伝える媒体（質）の事（物質が回転運動をすると発生する）（全ての現象は波動のエネルギーによって起こっている）

	エネルギー名 （宇宙語）	略称及回転運動 している物質名	周波数範囲	周波数の種類
1	AQUA	A.E.G（海水）単体原子	$10^{-100} \sim 10^{100}$ Hz	10^{400}種
2	GOUOZ	G.E.G（空気）単体原子核	$10^{-10} \sim 10^{10,000}$ Hz	10^{400}種
3	COJA	CO.E.G 単体陽子	$10^{-5} \sim 10^{36}$ Hz	10^{400}種
4	GELIS	GEL.E.G 単体中性子	$10^{-5} \sim 10^{37}$ Hz	10^{400}種
5	CAU	C.E.G（クオーク）	$10^{-10} \sim 10^{1,000,000}$ Hz	10^{400}種
6	OQUA	O.E.G	$10^{-60,000,000} \sim 10^{60,000,000}$ Hz	10^{400}種
7	SACFIP	S.E.G	$10^{-40,000,000} \sim 10^{10^8}$ Hz	10^{400}種
8	ZAGIO	Z.E.G	$10^{-40,000,000} \sim 10^{10^{200}}$ Hz	10^{400}種
9	PUDAX	P.E.G	$10^{-10^{10}} \sim 10^{10^{200}}$ Hz	10^{400}種
10	QOWUMY	Q.E.G	$10^{-10^{28}} \sim 10^{10^{5,000}}$ Hz	10^{400}種
11	GEIPUX	GE.E.G	$10^{-10^{40}} \sim 10^{10^{90,000}}$ Hz	10^{400}種
12	AILPUX	AI.E.G	$10^{-10^{42}} \sim 10^{10^{100,000}}$ Hz	10^{400}種
13	LESK	L.E.G	$10^{-10^{44}} \sim 10^{10^{200,000}}$ Hz	10^{400}種
14	KUQESP	K.E.G	$10^{-10^{52}} \sim 10^{10^{240,000}}$ Hz	10^{400}種
15	IPSE	I.E.G	$10^{-10^{54}} \sim 10^{10^{3,500,000}}$ Hz	10^{400}種
16	CAZAG	CAZ.E.G	$10^{-10^{80}} \sim 10^{10^{4,000,000}}$ Hz	10^{400}種
⋮	⋮			⋮
$10^{25万}$	APLO	APL.E.G	$10^{-10^{10万}} \sim 10^{10^{350億}}$ Hz	10^{400}種

物質は約$10^{1億}$種類ある

第七章　宇宙の法則と波動

図表28

宇宙の全ての存在現象を構成する波動形態(FANT)の種類の一部

No.	波動形態名	回転球体素粒波の形態と組合せ			
1	CEGIN　（物質波）	❀ ●		↑ ↑ ↑	
2	DILEKA（電磁波）	❀ ●			
3	KEGOT　（磁気波）	❀ ❀			
4	GIMANEH	❀ ❀ ❀			
5	DILEGJ	❀ ❀ ❀			
6	FIEGHOK	❀ ❀ ●			
7	HRINU				
8	JITDO	鉱物構成（複合波　1.4万種類）			
9	VIRWO				
10	MEHVOF				
11	PHUYE				
12	GJIWO	植物構成（複合波　10万種類）			
13	DESUN				
14	DOVEP				
15	FIVUPA				
16	JOKA				
17	JANCI				
18	FEWU	動物構成（複合波　22億種類）			
10^{655}	IMOH	※究極の宇宙意識と意志のEHKOのEXA PIECOに関係する最も精妙な高い周波数のFANT			

第八章　病気の本質

「意識」の変換によって病は解決の方向に向かう

今、私達が現実として具体的に肉体、ボディを維持、管理、運営していく中で、非常に関心をもっているのは健康や病気の問題です。

「意識」の変換によって、病気も病原菌も全て解決する方向に向かいます。ですからこの問題についても少しお伝え致します。

人間の「意識」が中性子で、「意志」が陽子ですが、その形態が正常であれば、正常な振動波を受振・発振しているはずです。しかし実際は、56億の人の「顕在意識」が歪んだ振動波を出し続けているわけです。歪んだ振動波を出し続けていると、それに近い周波数の正常な中性子と陽子が、干渉を受けて歪んでいきます。そして今、事実として、空気も水も食物も非常に歪んできています。

その結果、それを吸収している人間も、その体の細胞のうちの原子核の中の中性

184

第八章　病気の本質

子・陽子・電子が歪んでできているのです。今、人間の体の中性子は平均して八五％歪んでいます。正常な方は一五％です。そして陽子が五％歪んでいます。電子は平均九〇％以上も歪んでいます。これは自分自身の顕在意識が中性子・陽子・電子の歪んだ振動波を発振し続けているということです。自分が歪んだ振動波を発振すれば、自分のボディの細胞も全部干渉を受けてしまいます。あるいは同調してしまっています。そして増幅してしまっているのです。

ウィルスや病原菌というのは、正常な中性子・陽子・電子でできているものが、例えば中性子の一部が図表29のように欠けた状態になっています。同様に正常な立体の楕円の形態をした陽子が、欠けてつぶれてしまうというような状態になることです。

このように、中性子と陽子と電子が何らかの形で歪んで結びついてできている原子や、それで構成されている分子、それらを地球のこの文化では、ウィルス、病原菌、と呼んでいるのです。

病原菌の場合は基本的には分子レベルの歪みです。ウィルスというのは原子核および原子レベルの歪みです。

図表29　中性子・陽子・電子の歪み

第八章　病気の本質

ウィルスや癌細胞は人間の歪んだ顕在意識が生み出した

　陽子の歪んでいなかった時代がずっと続いていたのですが、最近は陽子が歪み出しました。陽子が歪み出してから、ヘルペスウィルスとか癌ウィルスとかエイズウィルスなどが生まれたのです。

　つまり人間の顕在意識が、さらに陽子を歪め始めているのです。もともとはチフス菌とかコレラ菌とかいう分子レベルで歪んでできているものは、電子だけが歪んでいたり、あるいは結核菌のように電子と中性子が歪んでいただけで陽子は歪んでいませんでした。それが最近は陽子が歪んでいる。要するに原子核が歪み出したりしているわけです。さらに電子も歪んでいますから、原子が歪んでいる。そういうものが組み合わさってできているものを、ウィルスと呼んでいるのです。またそれが組み合わさり、さらに細胞を構成していれば、癌ウィルスか癌細胞になるわけです。それは明らかに人間の顕在意識が生み出しているものだということです。

病原菌と「闘う」「殺す」という意識は自然の法則に反する

自然の法則は常に調和のとれた中性子・陽子・電子を生み出しています。ところが地球という星の、今の文化の人間の顕在意識は、中性子・陽子・電子を自分たちで歪めています。その歪んだ振動波は、自分の体、周りの空気、存在している壁、床、天井、素材など、この空間の「全て」に発振して、干渉し、変化させています。

それだけではなく、病原菌というものを地球では誤解しています。「病原菌が悪い」と思っているのです。自分たちが作り出している病原菌を憎んで「闘う」「殺す」という「意識」をもっています。

基本的に「闘う」とか「殺す」という「意識」そのものが、自然の法則に反しています。常に調和のとれたエネルギーを全てに行き渡るように変換していく、これが自然の法則です。

特定の人が特定の形で得てしまう、競争して奪い合う今の文化というのは、欲望を

第八章　病気の本質

満足させる顕在意識の拡大された状態です。競争して奪い合うという形で、それぞれがエネルギーを補給しているわけです。

本来宇宙の法則では、エネルギーは常に調和のとれた形で分かち合い、全てに行き渡るようになっています。ですから必要以上のエネルギーはいらないはずなのです。

ところが競争や奪い合いを繰り返し、自分たちが歪んだ振動波で作り出した病原菌を、結局また「顕在意識」が憎んでしまっている。その憎んでいる病原菌は自分たちが作ったもので、本来、病原菌自体は悪くないのに、それをまた殺菌という方法で殺そうとしています。

病原菌を失くすためには、病原菌になっている歪んだ中性子を正常に戻してあげればよいのです。原則として波動のコントロールの一番簡単な方法は、正常な中性子の強力なエネルギーの振動波を歪んだ中性子に送ることです。そうすれば、波動の性質から言って、干渉して戻るわけです。

これは陽子や電子についても同様で、原子核、原子、分子、細胞レベルでも全く同様の考え方で正常化できます。つまり、それぞれのレベルの正常な強いエネルギーの

振動数を加えれば、結果的に病気が消えてしまいます。病原菌を殺す必要は全くありません。波動のコントロールにより正常化する方法は他にもあります。例えば、歪んだ中性子・陽子・電子を一度クォーク（CAU）に戻し、即正常な中性子・陽子・電子を再生し、原子・分子・細胞を正常化する等々……。これ以上の詳細はここでは省略させていただきます。

ところが、地球の文化の薬というものは、中性子の歪んでいる状態をもっと歪め尽くしてしまう。また、癌という性質の細胞が歪んでいる状態であれば、それをとり除いてしまおう、あるいはもっと歪めて癌の性質が失くなればいい、というふうに考えるわけです。

薬というのは、殺す、破壊するという形で自然の法則に反しながら、中性子や陽子、電子をさらに歪めています。病気の理解も現象に基づいていますから、要するにその性質が失くなれば、病気や病原菌が失くなるという解釈です。しかも病原菌はその性質が失くなれば、病気や病原菌が失くなるという解釈です。しかも病原菌はそれを燃やしても捨てても、とにかく最終的には必ず浄水場を通り抜けて海に行きつくか、灰になって土になるか、いずれにしてもその中性子・陽子・電子の歪んだものは

失くならないのです。それを常に繰り返しています。

人間の歪んだ振動波は自然の調整能力を超えてしまった

今、海の水は歪みに歪んでいます。自然の法則では、中性子・陽子・電子を正常化する働き、つまり浄化作用があるのです。詳しいことはまだ情報でよく調べていませんが、川の流れや滝のようなものは、中性子・電子を正常化するようにできているようです。歪んでいるものが正常化するような働きとして、川の流れは大事な役割をしているようです。海の波なども、歪んだ陽子を正常化するような働きをしているようです。

ところが地球上の人間の顕在意識が出し続けている歪んだ振動波は、今、自然が調整するその能力をはるかに超え、加速度を増しています。

お医者さんも薬屋さんも、あるいは薬学の科学者たちも、病原菌を憎んで殺して殺菌する薬がよいものだと信じ、競って開発するわけです。これでは病原菌の数が増え

るのはあたりまえです。種類の違う歪んだ振動波をまた作り出して捨てるわけですから、新しい病原菌が生まれるのは当然です。また薬を開発するということは、歪んだ振動波の組み合わせを増やすわけですから、また新しい病原菌が生まれます。

ですから今のままでいけばエイズの段階で終わらずに、エイズの先のさらに歪んだ振動波の凄い病原菌が生まれ、瞬間的に肉体が消滅、あるいは終わってしまうような状況になることもありえるわけです。これは循環してしまっているわけですから、部分的にではなく、ありとあらゆる全てがそういう方向に向かい出しているのです。

海の水が蒸発して雲になり、雨になって山に行き、動物、植物、鉱物を歪めて、またそれが川に流れ込む。人間は、その飲み水や空気、動物、植物、鉱物も、全部何らかの形で口に入れています。その繰り返しの結果、今人間のボディは中性子が八五％、電子が九〇％、そして陽子が五％歪んでしまっているのです。

第八章　病気の本質

半導体の振動波は脳の神経細胞を歪める

陽子については、例えば約80％の半導体が出している振動波は、脳の神経細胞を歪める振動波だという情報です。これは10⁵⁰Hzという振動波で、係数が人間の脳の神経細胞と小数点一桁目、二桁目以下が違うだけです。ですから非常に近い振動数で干渉する振動波が出ています。その振動波は電磁波ですが、電磁波というのは地球の物理学で仮説になっているプラスの単極磁子と、電子が結びついて構成されています。

地球ではまだ理解されていませんが、電磁波はそのような組合せによって生まれています。その電磁波の単極磁子と電子の振動波の半導体から出ている振動波は、正常な陽子と電子を歪める振動波で、常に干渉をしています。その結果、脳の神経細胞の「意志」の陽子が歪んでいきますから、半導体、例えばパソコンの前に朝から晩まで向かって振動波を受けていると、十年、十五年という間には意欲を失っていく状態が自然に生まれてしまいます。これは陽子の振動波が歪むことによって起きる

のです。

例えば私はパソコン協会の関係の方から、あるパソコンのプログラマーの方、五〇〇人分のリストを頂いて見せていただいたことがありますが、名前だけを見てこの方は何年くらい勤めているというのがわかってしまうのです。その方たちが何年勤めているのか、事前には全然知りません。なぜわかるかというと、陽子の歪み具合がわかってしまうわけです。

陽子の歪み具合はふつうの方だったら五％くらいのはずなんですが、例えば職業としてパソコンを十年くらいやっていれば、少なくともこれだけのパーセンテージで歪んでしまっているという数字が出てきてしまうのです。

ですから、その名前を見て陽子がどのくらい歪んでいるかを調べますと、瞬間にその方が少なくとも十年以上勤めている方だなと逆にわかるのです。それくらい明確に勤務年数と陽子の歪み具合の関連性が出てきていて、その状態によって影響の度合いが現実に現れてきてしまいます。

第八章　病気の本質

顕在意識が自然の法則にかなう方向に意識変換しよう

ただし、これは本人の「顕在意識」が調和のとれた実行をすることによって周波数がどんどん上がっていった場合には、様子はがらっと変わります。中性子も陽子も電子も正常化の方向に向かってしまうわけですから、病気が失くなるのです。病原菌は失くなり、病気が治るのです。

健康になろうという「意識」、長生きしようという「意識」、これは欲望です。体、ボディを主体だと思っているこのような意識は、「顕在意識」の欲望です。健康になろう、長生きしようという「意識」ではなく、顕在意識が自然の法則にかなった調和のとれた「意識」に変換して、自然界に未来から入ってきた情報を素直に受け止め、それをきちんと実行すれば、自然に中性子、陽子、電子が正常化していきます。ボディが調整されていきます。その結果、病原菌が失くなり、病気は失くなります。そして、健康になり、長生きしてしまいます。

195

どんな方法論や行政、あるいは医学よりもまず第一番に、今必要なこと、全てに代わることは、一時も早く「顕在意識」が自然の法則にかなった調和のとれた方向に意識変換をするということです。そういう「決心」をしたら、後は「実行」です。何の修行もいりません。そこから始まって、それが全てです。

地球の原子核の集合体（EXA PIECO）と同調できるまでの時間は、考えようによってはまだ十分にあります。ただ具体的な年数で言えば、残念ながら何年もありません。

しかし自分が意識変換をし、顕在意識が自然の法則にかなった状態になってそれを実行し出したら、みるみる周波数は変わります。「決心」したことを実行し、自分自身の調和、つまり調和のとれた振動波を出すということが大切です。自分がよくなると、周りに常にすばらしい振動波を発振・受振するということを起こします。すると、周りの全てが良くなってきます。

第八章　病気の本質

全ての現象は自分の発振した振動波と同調して起こる

　全ての現象は自分の発振した振動波と同調して起きてきます。自分の周りに起きている結果は、どんなにいいことも悪いことも自分に責任があります。自分が無意識のうちに出している振動波は、そこで同調してその現象を起こしています。ですから、自分の周りで起きていることで、こんなことは私の知ったことじゃない、相手が悪いんだというふうに決められるものは何もありません。波動ですから、全部自分が発振した結果、それが同調し現象として起きているのです。そうでない限りはその現象は起きないわけです。しかも起きている現象は、その人がそれを体験し、そこから何かを学ぶ必要があるから起きているのです。

　つまり、調和のとれた振動波を出していれば、常に調和のとれた現象しか起きません。身の周りに調和のとれたことしか起きなくなります。自分に大変きつい現象が起きているのは、自分にとってスタディが必要でその振動波を出しているからです。

「本質」が、スタディをしていく顕在意識に「気づいてくださいよ」という強力なメッセージを送っているのです。病原菌もその一つです。

また、よくこういう例があります。経営者の方が、「うちの会社は社員を募集すると、ろくな人間が入社してこない」と言われるのです。これは誰の責任でもなく、社長さん始め社員の方の一人一人がそのような振動波を発振しているために、それに同調してそのような現象が起きるのです。自分たちの意識を調和のとれた方向に変換すれば、その結果が必ず出ます。

このボディでスタディをすると選んできた「本質」のスタディがあまりにも進まず、「本質」が顕在意識が気づいてくれない、「本質」に気づいてほしい、というメッセージとは反対に、地球上の人は歪んだ顕在意識で中性子・陽子・電子を歪めて病原菌を生み出しています。しかし、その病原菌もまたボディにメッセージを送ってくれているのです。エイズとか癌の病原菌（ウィルス）を選択している原子核の集合体（EXA PIECO）があります。癌ウィルスでスタディをしているのは、人間とは桁違いに周波数の高い原子核の集合体（EXA PIECO）です。

198

第八章　病気の本質

自分より未熟な存在をサポートするようにスタディしよう

　ここで大切なことに気づいていただきたいのです。原子核の集合体（EXA PIECO）がスタディをするということは、常に他の自分より未熟な低い周波数の原子核の集合体（EXA PIECO）をサポートすることで、宇宙の仕組みの何を学ぶかということです。本来人間の原子核の集合体（EXA PIECO）は、自分より宇宙の理解が浅い段階の人間の原子核の集合体（EXA PIECO）や、動物・植物・鉱物の原子核の集合体（EXA PIECO）をサポートすることで、スタディをしているはずです。当然サポートされる側も何かを学びます。そしてそのシステムは、ミクロからマクロまで全てに行き渡っています。

　ところで、病原菌のボディの周波数と病原菌そのものを選択してスタディをしている原子核の集合体（EXA PIECO）の周波数とでは、全然違います。

　借り物である人間のボディが、中性子・陽子・電子が何十％も歪んでいて周波数が

低い状態であっても、もし顕在意識が意識変換し「本質」の調和がとれている状態になれば、いつでも変わり出すのです。

それがどの状態でこういうふうになるということについては、現段階では私も詳しいことはわかりません。いずれ必要があれば、調べることができると思います。病原菌も同じように、病原菌自体の振動波が非常に歪んでしまっています。要するに中性子・陽子・電子で構成されて原子ができ、その原子が歪んでいますが、病気の病原菌というのは分子レベルか原子レベルか原子核レベルかでいろいろ違うわけです。今どんどん中性子・陽子・電子に関係したレベルの病原菌が生まれ始めています。

地球ではもともと病気を現象でとらえています。しかしそれが細胞レベルの病気なのか、分子レベルなのか、原子レベルなのか、原子核レベルか、あるいは電子か中性子、陽子レベルか、その段階によって、病気の状態は全部波動が違うわけです。物質波だったり、電磁波だったり、磁気波だったりするわけです。しかもその周波数がみな違います。

ところが、薬では大雑把に、こういう現象でこういう症状がありこういうふうに痛

第八章　病気の本質

みが止まった、熱が下がった、痒みが止まったとかということから病気に対処しようとしています。分子レベル、細胞レベル、あるいは原子レベルのものなのです。だから電磁波で治るのです。今までの病気というのはほとんど、電磁波がいろいろ組み合わさった波動のでる薬を開発しています。しかし、地球ではそれに気づいていません。

ところがエイズとか癌とかいうのは、電磁波でいくら薬を開発しても無理です。原子レベルというのは磁波です。

ですから、時々磁気が効果があって、というようなことが起きてくるわけです。癌などでは現にMRAとかLFTといった機械で磁気波動をコントロールすることで、実際に癌の一部を調整するということも行われ始めています。しかし実は癌は、原子核レベルが大きく歪んでいるため、磁気波動だけでは一部の癌は治せたとしても、全ての種類の癌を正常化することは不可能です。なぜなら、原子核の振動波は、磁気波・電磁波・物質波の複合波で構成されているからです。

癌を正常化する波動の種類がある

ここで、宇宙からの情報を以下に簡単に述べますと、癌ウィルスや癌細胞を正常化するには、次の5種類の波動の形態で342種類の複合波からなる高いエネルギーの振動波でコントロールする必要があります。

(CEGIN)波　（物質波）　　5つの波動の形態
(DILEKA)波　（電磁波）
(KEGOT)波　（磁気波）　　342種の複合波
(FEWU)波　（未　知）
(DEGZ)波　（未　知）　　（周波数・波長・波形・振幅）等の組合せ

セギン／ディレカ／ケゴット／フェヴ／デッズ

この情報に基づき、形態波動エネルギー研究所では、"形態波動エネルギーコント

第八章　病気の本質

ロール装置〟を造り、北里大学医学部分子生物学研究室の中村国衛助教授のご協力により、人間の子宮癌細胞を正常化する実験を行った結果、情報通り素晴しい成果が得られました。また、臨床的にも同助教授によって徐々に症例が確認され始めています（巻末資料参照）。

例えば、ある病院の院長さん自身が肺癌で、体の何カ所にも転移している状態だったのが、同装置によって水に転写した形態波動エネルギー水を三カ月間飲んでいただいた結果、完治したなど、他にもいろいろな結果が得られつつあります。

病は「本質」に気づかせるためのメッセージ

これ以上の詳細は他の機会に譲るとしまして、病気というのは複合的にいろいろな形で起きています。

細胞、分子レベルで問題が起きていたり、原子レベルまでの三つ全部で問題が起きていたり、原子レベルと中性子、陽子レベルで問題が起きていて、細胞、分子レベル

は何でもないとか、さまざまな組み合わせになっています。

ですから、同じ症状の人であってもこの人には効いたけれどもこの人には効かないとか、この人には副作用が起きてしまったとか、いろいろあるわけです。現象で見ているとわからないですが、波動で見れば当然ということがたくさんあります。

それは、周波数・波長・波形・振幅が波動の形態と組み合わさって、これはこの原子レベルと分子レベルのところを調整すればいいのに、薬が細胞レベルを歪めてしまう波動も出してしまっていれば、せっかく原子と分子のその部分が治ったのに、細胞の部分で副作用（歪むこと）が出てしまうことがあるわけです。

細胞そのものの振動波を見れば、歪んでいるとか、原子レベルそのものを見れば、歪んでいるということがあっても、その歪んでいる状態のボディをスタディの対象として選んでいる原子核の集合体（EXA PIECO）があるわけです。これはものすごく調和度の高い原子核の集合体（EXA PIECO）が選んでいるので、なぜなのだろうと思って情報を得てみました。

すると先にも触れましたように、人間の顕在意識が作り出した人間の病原菌は、人

第八章　病気の本質

間にもう一度「本質」に気づいてもらうためのメッセージを送るためにわざわざ起きていることがわかったのです。そのためにすばらしい原子核の集合体（EXA PIECO）がスタディをしているのです。ですからそれに気づいた人は病気が急速に治ります。要するに、自然の法則に気づき、「本質」に気づいて意識の変換が起き、その病原菌を通してサポートしてくれている原子核の集合体（EXA PIECO）に感謝をすれば急速に変わるということです。

先日も、ある治療やセミナーに携わっていらっしゃるところの方からお手紙をいただきました。私が今お話ししたようなことを実行されて、治療意識と気のエネルギーの両方で治療されている方で、海外からも患者さんがみえ、指導されているような方です。

今までずっと「病気と闘う」というふうに指導していたのを止めて、病気、あるいは病原菌は自分たちが起こしたのであり、それを気づかせるために自然がメッセージを与えてくれたのだというっことに感謝をする気持ちに変えたのだそうです。自然の法

則にかない調和のとれた、意識に変換するという「意識」で皆さんに治療を始めて二カ月目、二月から始めて四月と書いてあったと思いますが、脳に癌ができており、また肺癌でもあるという方が、このような「意識」で一生懸命セミナーを受けられた結果、脳の方の癌がなくなって消えてしまっているのが四月に行ったCTの検査でわかりました。肺癌の方はまだ残っているので、さらに努力をして結果をご報告してくださる、というお手紙でした。

治療をされる方がそういう手紙をくださったのです。それ以前にもそのような手紙をいただいています。それはアメリカのグァム島の方だったと思います。血液癌で、そのセミナーを受けている段階で測定をしていただいたら、かなり正常な状態に戻ってしまったということでした。

治療されている方が実際に、「意識」の変換ということを具体的にそのような方法で試されているのです。

第八章　病気の本質

「健康で長生きできてしまう意識」への変換をはかろう

病気になった、癌になった、エイズになったという方は、それらを憎んで闘って殺してやるという「意識」を持つのではなく、自然の法則を理解して、エイズならエイズが自分たちの「顕在意識」の作り出したもので、そのウィルスが今自分にメッセージを送っているのだと理解することです。そして「メッセージをありがとう」という「意識」がもし生まれたら、「顕在意識」は間違いなく調和のとれた方向に意識変換しています。これが一番速く病気が治る方法です。

病気は治すのではないし、闘うのではないのです。調和のとれた状態に戻すという ことです。自然の法則にかなった方向に中性子を戻す、陽子を戻す、電子を戻すということです。

もう一度申し上げますが、そのためにまず最初にやることは、人間の「顕在意識」を正常な方向に意識変換することです。そして「本質」に入ってきた情報を素直に実

行します。実行した結果、原子核の集合体（EXA PIECO）の原子核の数が増え、安定して周波数がまた上がります。その繰り返しでどんどん調和のとれた振動波になり、自分のボディも調和がとれていきます。つまり、中性子・陽子・電子が正常になってゆくのです。

明らかに周波数が高くなって長期間安定していらっしゃる方のボディは、中性子・陽子・電子の歪んでいるパーセンテージが平均よりずっと少なくなり、調和度が高くなっています。その高い時間を長く保てる状態になればなるほど、中性子・陽子・電子が正常化しています。これですと病気が治る方向に進むのは当然です。

ですから健康で長生きしようという「意識」を持つということは、これは個人的欲望であり、病気を本質的に解決することにはならないのです。調和のとれた結果が、健康になり、長生きしてしまう状態だということです。

第九章　これからの生き方について――質問に答えて

本章では、この数年間、全国からお手紙やFAXなどでたくさんのご質問やお問い合わせ、励ましをいただきながら、お答えする時間がとれず大変失礼をしてしまっている方々へ、お詫びと感謝を込めて、その中からできる限り共通の内容を選び、いくつかお答えさせていただこうと思います。

もちろん、私自身の個人的考えとか、主義、主張ではありません。宇宙からの情報としてお伝えさせていただきますので、ご判断は読者の皆様方にゆだねられます。よろしくお願いいたします。

第九章　これからの生き方について——質問に答えて

不思議な能力を得よう、超能力を得よう、修行しようといったいろいろな目的を持つのは、個人の欲望です。自然の法則にかなった調和のとれた意識変換をし、それを実行し出すと、もともと全ての人間が誰でも同じように持っている機構、機能が実際に使えるようにどんどん変わり出します。それを超能力と言えば、そういう言葉になってしまうだけのことであって、本来は誰もがみな自然に持ち合わせています。ただこの文化ではそれを使用し、生かすことが不可能な状態になっているだけです。

不調和な振動波である限り、ある部分だけの能力が芽生えるというのは、これはあくまでも部分的なことで、全体としては不調和な状態です。ですから、自然の法則の中で調和のとれた方向に意識変換がトータルでできない限り、それは確実に使えなくなってしまいます。いずれは消滅してしまいます。意味があってその人がそれを生かせる状態になり、トータルで調和ができる方向に変換できた時に、すばらしい役割が果たせるようになるのです。

ですから、常に人間の顕在意識が即決心をして、どんなことでも調和のとれた方向に実行していくことが基本です。小さなことでも大きなことでも関係ありません。毎

日の生活の中での炊事、洗濯もそうです。日常生活でも仕事でも、どんな小さな問題でも、人が見ている見ていないではないのです。難しいことは何もありません。定義も何もいりません。自分が直観的に行動し、自然の法則にかなっているということは、違う言い方をすれば自分だけのことを考えてやっているのかな、これは自分の家族のことだけを考えてやっているのかな、あらゆる人のため、人間のためだけではなく、全ての存在物のことを考えてやっているのかなと絶えず自分に問いながら行動をするということです。

私が逗子にある建物を設計させていただく時に、建主さんの目的、用途にかなうことはもちろんですが、この場所、この環境で動物、植物、鉱物も石ころも、ミミズもバクテリアも雑草も、とにかく全ての存在物が自然の法則にかなって共存共栄し、生き生きと生きられるような振動波が生まれるために、どのようにしたらいいのか、どうすればそういう空間が生まれるのか、その形態はどういうものかということをプログラムしたわけです。

そして全く顕在意識を使わずにプログラムして、スケッチしました。自分で考えた

第九章　これからの生き方について——質問に答えて

りデザインをしたりせずに、敷地図をお預かりしただけで現場を見ないうちにこのプランの基本形はできてしまったのです。

このようなことは本人が自然の法則にかなった調和のとれた「意識」を自覚して、同調して入ってくる「本質」と一体化したら誰でも必ずできることです。もし共鳴していただけましたら、ぜひ今日から皆さん、より調和のとれた生き方を選択なさってください。これは私の主義、主張ではありません。自然の法則にかなった調和のとれた「意識」で、入ってきた情報をそのままお伝えしただけです。

ですから何か感じられて、もし「本当はこうだ」と思うことがあった機会には、常にそれを実行してみてください。その「決心」をされたらもうその瞬間から変わっています。自分で気づいていなくて、その後何かとんでもないすばらしいことが起きた時、「これは偶然だ」というふうに思わないでください。「必ず」それは意味があって起きたのです。「決心」した以降は前とは全然違います。波動でみるとすぐわかります。現象で、人間の目では見えません。

しかし、波動ではすぐに感じられます。皆さん、必ず中性子、陽子と、お話しし、

コミュニケーションできるようになります。その時代が近づいています。地球が変換するということは、そういう時代になるということで、変換状態が起きているわけです。ですから今、全ての存在物がそういう方向に向かっています。ぜひ一時も早く意識変換をしていただいて、即それを実行してください。そのためにこの本が少しでもお役に立てば幸いです。

第九章　これからの生き方について――質問に答えて

足立育朗とのQ&A

Q 「潜在意識」のある場所および脾臓の働きについて知りたいのですが……。

A 「潜在意識」は脾臓の中にあります。正確には宇宙語でπ天と言い過去の情報をコントロールしています。脾臓はエネルギーが入ってくるところです。

人間のボディのエネルギーが維持、管理、運営できるのは、食べている食物で補給している量だけではプラス・マイナス・ゼロになっていません。食べている食物だけでこれだけ精巧な人間が機能することは不可能です。宇宙からもっと調和のとれたエネルギーが直接入ってきています。それが脾臓です。脾臓と虫垂、盲腸に入ってきます。大事な役割である盲腸の機能を地球ではまだ理解できていません。盲腸をとってしまうというのは非常に残念なことです。情報によれば、メインとして脾臓にエネルギーが入ってきて、そこからいろいろな臓器に送られています。

Q 地球のテレポーテーションということですが、人間ではない動物、鉱物、植物は一緒にテレポーテーションできるのでしょうか。

A もちろんできます。全ての存在物の〈EXA PIECO〉が調和さえとれていれば可能です。動物、植物、鉱物が人間を選んでいる原子核の集合体〈EXA PIECO〉より常に低いかというとそうではないものもあります。例えばダイヤモンドを選んでいる原子核の集合体〈EXA PIECO〉は、その球体断面が12になっている人間と同じ構成の仕方でスタディをしています。金もそうです。鉱物の中でも、チタンとかニッケルとかアルミニウムなどの純粋なものの原子核の集合体〈EXA PIECO〉は、12の球体断面で人間とコミュニケーションできるのです。
 地球では金属に「意識」とか「意志」があると思ってもいませんから無視しています。その結果何をやっているかというと、金属の原子核の集合体〈EXA PIECO〉を尊重せずに、人間の傲慢さで電磁波(例えば熱エネルギー)を加えたり、電磁波と

第九章　これからの生き方について──質問に答えて

物質波の複合波（例えば圧力を加えたり、ねじ曲げたりしたいたり）するわけです。これは金属に了解を求めていないのです。

UFOはそういう形では作れません。UFOが生まれてくるのは、金属の原子核の集合体（EXA PIECO）とコミュニケーションをして金属が協力をしてくれているからです。形態が生まれるのは、人間が傲慢さでねじ曲げているからではありません。ですから動物、植物、鉱物でも調和度の高いものがあります。例えば蓮の花というのは人間よりもはるかに高く、原子核の集合体（EXA PIECO）は最低10個以上で選んでスタディをしているので調和度は人間よりはるかに高いのです。指数関数では10の何乗という形の周波数です。違う言い方をしますと、蓮を選択している原子核の集合体（EXA PIECO）はいつでも、地球から離れて時空間移動できる状態まで成長している原子核の集合体（EXA PIECO）なのです。蓮の後は他の星へ移動している可能性が強いのです。

それから例えばクジラとかイルカですね。あるいはオットセイは動物ですが、人間よりはるかに調和のとれた原子核の集合体（EXA PIECO）が選択をしてスタディ

をしています。実際にイルカの周波数というものは、ものすごく高い周波数です。交振している内容は、もし欲が深い人がノーベル賞をもらおうと思って、イルカに科学的な質問をし、同調して情報を得る努力をすれば、いくらでもそういう情報が入るような非常に高いレベルの情報です。でもそのような「意識」ではとうてい同調してくれないでしょう。それからこれは余談になりますが、クジラは金星から、イルカはプレアデス星団から、オットセイはカシオペア座の星からそれぞれテレポーテーションした動物で、地球で発生した動物ではありません。

Q 人間は同じような行動をとっても内容が全然違うというお話ですが、その辺りのことについて少し詳しくお伺いしたいのですが。

A 同じような行動をとっていても「本質」がどうなのかで全然違います。「意識」しないとわからないのですが、波動（周波数）で見ればこれはすぐにわかります。例えば人間が作り出している電気・電化製品・車など、その値段・性能・機能が全

第九章　これからの生き方について——質問に答えて

てほとんど同じでも、その周波数で見れば全然違います。その物質を選択している原子核の集合体（EXA PIECO）がどれくらいの周波数なのか、という視点で見るわけです。どんなに同じようなものに見えても、それらを選択する際には、スタディをして調和のとれた方向に向かっている方を選んだ方が間違いないということです。製品はみんなそうです。

例えばＡ社がこの車を作ってどういうふうにしたら儲けられるかという「意識」から発想が始まって、そのためにはどういうふうに工夫してどういうふうに便利にして、あるいはこうやれば受けるだろうというふうにして結果を出しているとします。それに対してＢ社は、基本的に今の文化そのもの、地球の文化自体に問題を感じるようなところから出発して、車というのはどうしたらいいか、それにはこういうふうな考え方を打ち出したら少なくとも調和のとれた方向に向かうのではないかというふうな、そういう発想から始まってだいたい同じ性能、技術、デザイン、単価などの結果を生んだとします。するとこれはもう両者の周波数が全然違います。どんな機械でも同じです。パソコンでもラジカセでもウォークマンでもみんなそうです。

219

その会社の、企業の法人格という法人が生まれれば、その法人格そのものの原子核の集合体（EXA PIECO）がちゃんと選択をしてスタディしていますから、その会社のスタディをしている状態で周波数が全然違うのです。会社自体のトップから重役さんの考え方が法人格に反映し、その製品が不調和な振動波を出しているか、調和のとれている振動波を出しているかに影響します。トップや重役さんの考え方や周波数が上がれば、法人格も上がるのです。従業員の方の周波数も変わってくるわけです。

明らかに建築の空間にも影響してきます。今計画させていただいている中からそういうことも結果が出始めています。それくらい見た目は同じであっても、中味、「本質」が違うと全然違う方向に向かっていくということですね。

Q 自分なりに気づいたことを現実の職場や環境にいかに実行し伝えていったら良いか、対応についてのアドバイスがほしいのですが……。

A 非常に現実的な問題で、私もそれは常に体験しています。十年前から比べたら、

第九章　これからの生き方について──質問に答えて

今ははるかにこういったことが伝わりやすくなりました。「本質」をそのままお伝えするということは、確かに「顕在意識」の約束事で作られているこの文化を否定してしまうところがたくさんあります。これはもう止むを得ないですね。要するに自然の法則にかなっているか、かなっていないかがベースになって全てをお伝えしてしまうわけですから、基本的に自然の法則に反するものは、みんなある意味では違うという、否定する結果になってしまうのです。

これは地球という星が、最初からずっとこういう文化であったわけではなくて、四十八億五千万年くらい前から今までの間に、地球には今の文化よりはるかに進んだ文化の時代がたくさんありました。それも地球の人たちだけではなくて、他の星から何千万人単位で大移住をして来て、何億人にもなり、それがすごい文化を創ったという時期が何回もあります。そういうことを繰り返して、たまたま五千年くらい前から、今のこの状態の文化が続いてきているわけです。

それをそのまま受け入れて続けるということであれば、今の文化は変わらないでしょう。恐らく自然の法則の中で地球がテレポーテーションをする時期に間に合わない

221

状態で、生まれ変わるということが起きてしまいます。それをどういうふうに受け止めるか、自分が「本質」と向かい合って、摩擦が起きる、起きないなどというのは、それはしがらみです。全部、あれがあるから、これがあるからという「顕在意識」の延長なのです。

ですからそれを考えて、だからこうしておこう、という行動をとっているのは、今までに私どもがやってきていることです。そのどちらを選択するかというのは、問題が起きるから行動をとらないんではないのです。これが自然の法則にかなった調和のとれた方向で、今必要なことだと「決心」するかどうかなのです。「決心」したら、問題が起きるか起きないかということは、これは「決心」する前に「顕在意識」で最初にそのように推理、予測をするわけです。

「顕在意識」というのは常にそうです。自分のしがらみを考えて推理、予測をして、ボディの維持に一番都合のいい状態に結果を生んでいくわけです。

しかし、もし「顕在意識」が「本質」と同調していくことを「決心」した場合には、少なくとも問題が起きるか起きないかが大事なのではなく、問題が起きる起きな

222

第九章 これからの生き方について――質問に答えて

いを越えて決心をしてしまうわけです。

すると原子核の集合体（EXA PIECO）の中の原子核の数が増えるのです。原子核の数が増えると、受振と発振の量が増えます。そうすると解決策がたくさん生まれます。今「顕在意識」で考えているよりはるかに多く生まれなのです。問題はそこの違いなのです。

ですから、できればぜひ「決心」をして行動をとっていただきたいと思います。十年前より、今は、はるかに伝わるようになっています。皆さんがわかり始めています。感じ始めています。

Q 自然の法則にかなって調和のとれた方向に「意識」の変換をするためには、日常の生活でどのようにしたらよいでしょうか。

A 一番簡単な方法は、本当はこうだという直観を得たら即実行することです。そしてその繰り返しです。

つまりふだんの「意識」の中でも常に「直観」とか「閃き」みたいなもので、こうした方がいいなとフッと感じることが、大きなことでも小さなことでもたくさんあると思います。それを即、素直に実行してしまうわけです。

妹の幸子がよく例を挙げていました。お昼頃、「あ、あの人に電話しよう」と思いますね。「ああ、もうお昼か、食事の時間だな」と思うのは、自分はよくても相手に迷惑をかけてしまうから止めるという「意識」が起きるのです。時間はふだんの生活の中では当然の習慣です。ですが、「直観」でそういうふうに感じたということは、今その時期に相手の人が食事をしているかしていないかということを越えて、必要なのです。相手もそれを受け入れる状態が起きているから「直観」が自分に生まれているのです。

ですから「顕在意識」でそれをコントロールしないでかけてしまうわけです。まずそれが基本なのです。かけてしまって迷惑をかけることもあると思います。それから、いないこともあります。「直観」がいつも正解かと言えばこれは保証できないのです。

第九章　これからの生き方について──質問に答えて

というのは、それが「直観」かどうかを調べる方法というのが自分でも難しいわけです。間違いなく「直観」かどうかを私は今はチェックできます。基本的にそれが間違いなく「本質」とコミュニケーションした情報で、これは間違いないという確認を自分でするには、慣れないとかなり大変なのです。

ただ「直観」を感じるということについては、みんな同じわけです。そしてそれを実行すると、確認ができるわけです。

ああ、やっぱり「直観」でこういうふうにやってよかったんだ、というのが確認できます。そしてその繰り返しが多くなると、自信がでてきます。「この感じ方の直観」というふうに自分で思うのが、自分で何度も繰り返し体験をして自分で自信をもってそれが生かせるようになります。

ですから「直観」の中に間違えることがあるというのは「直観」と思っているけれど、実際には自分の「顕在意識」での希望的観測を「直観」と自分で思ってしまっているからです。つまり、「直観」が間違いなのではなくて、希望的観測の「顕在意識」、つまり自我とか欲望が働いている場合を自分で「直観」と誤解してしまうこと

があるのです。また、「直観」を受け止め損ねる、ということもあるわけです。電話をするという例などでは、自分の都合で考えて「今しよう」という、そういう感じ方ではなく、ずっと仕事をやってきて「あっ、これしなくちゃ」と思った時、つまり大事な電話をしたいなと思ったその時に、時間をフッとみて「あっ、12時5分か、止めとこう。1時にしよう」というふうにしていることもあるわけです。12時5分に電話をしたら、すばらしいコミュニケーションができて、すばらしい仕事ができたかもしれないことを先送りにしてしまうとかいうことがあるわけですね。

「損得」で「直観」が働くということは基本的にありません。ですから「損得」で感じてああしよう、こうしようと考えるのはこれは「直観」ではないのです。「直観」というのは「損得」を越えています。利害を越えた状態で入ってきます。ですから「これは自分は自分のことだけを考えて、自分だけがメリットがあるからやろうとしているのか」というチェックがいつも必要です。

「直観」と思って電話をしたら、その時その時間にその人がそこにいなかったという状態が起きたとしますね。これが何でそうだったのかということを考えていくと、ど

第九章　これからの生き方について——質問に答えて

うやら「直観」ではなくて自分の方の都合だけだったな、というようなことに気づけば、その体験を生かして「直観」の時に気をつければよいのです。

基本としては常に「直観」を実行する、これはものすごく大切です。といいますのは、直観が働いている時は必ず顕在意識が調和がとれて（EXA PIECO）と同調しているわけですからそれを繰り返し使えば、それだけ調和のとれた時間が長くなりだんだん高い周波数で安定してくることになります。ストレートに「顕在意識」が素直に実行するという方向で「決心」をして行動をとることが基本です。

ですから約束事とか考え方はかなり違ってきますので、摩擦が起きてしまう心配を誰でもします。私もいつもそれを心配して、躊躇していました。それを思いきって「決心」し、「行動」をとりますと、不思議なことに今度は違う形で反対に加速度が加わってきます。次から次へと予測以上の結果が生まれ始めます。信じ難いくらいそれは起き始めます。ただし、ここで一つ大切なことをお伝えしておきます。正確な直観を得るためには、常にできる限り自分自身が全てに対して謙虚であること、つまり、自我の振動波が限りなく少なくなるように心がけることが肝要だということです。

自我の振動波が出始めると、周波数は急激に下がり、低い波動（情報）と同調し非常に不正確になります。私の周りにも、謙虚さを失い無意識のうちに過信をした結果、自我の振動波をたくさん出して、せっかく高い周波数であった状態から急激に不調和になってしまっている自分に気づかず、自己主張している方が何人もいらっしゃいます。

Q 地球がテレポーテーションする時、地球の原子核の集合体（EXA PIECO）と同調できないレベルの人はどのようになるのでしょうか。

A 最終的には自然界のクォークというエネルギーに変換されるそうです。
情報では、身近な問題ではこういうことです。
生まれた時から10³²個の原子核の数で自分の自我、欲望を満足させるだけで生きてきて、地位欲、名誉欲、金銭欲等が全て満足され地球の今の社会のシステムの中ではすばらしい評価を受け、勲章や賞だらけで亡くなっている方が、たくさんいらっしゃ

第九章　これからの生き方について――質問に答えて

います。そういう方の原子核の集合体（EXA PIECO）の原子核の数というのは、10^{34}個で全然変わっていません。それだけではなくて、重量的に言えば周波数がうんと下がって重くなっています。ですから上に上がっていかないんです。

図表15のように地球がありますと、普通はスタディしてどんどん上がっていくわけです。地上80㎞の間の内でスタディをして、どんどん上がっていくのが普通なのですが、そのようになっていかずに下がって潜っていくわけです。勲章だらけで御殿のようなお墓を作っても、お彼岸や命日でさえ、その人の原子核の集合体（EXA PIECO）の周波数は全然そこに来ていないというお墓がたくさんあります。本人は「顕在意識」で満足しきって亡くなっていますが、「本質」は全然スタディができないばかりか「顕在意識」の振動波が歪み、その歪んだ振動波が「本質」まで歪めて中性子・陽子にまで及んでいます。中性子・陽子が歪み尽くしていきますと、歪んだ振動波を出し続けるわけですから、自然界に迷惑がかかるわけですね。そういう原子核の集合体（EXA PIECO）はボディを失ったあと、スタディをして上がっていくにはもう不可能な状態にまで潜っていって、地球の重心に近い方向にどんどん何千㎞と戻

っていくわけです。それはレベルにより違います。

10のマイナス何億乗Hzとかいう周波数になれば、これはどんどん潜っていきます。そしてその結果重心に近いところで、原子核そのものが核分裂をします。今の地球の文化レベル以下のいろいろな星の重心の近くでは核分裂をして、その原子核の中性子と陽子が分裂して別々になって再生されます。正常な中性子と陽子がもう一回作られて核融合され、鉱物からまたスタディが始まります。

そういう段階とは別に、テレポーテーションした場合に、クォークのエネルギーに戻されるという情報です。ただしそれは、人間のボディを選択している原子核の集合体（EXA PIECO）が地球と同調できるレベルに達していない場合です。原子核の集合体（EXA PIECO）の質と構造が変換して戻り、人間から動物・植物・鉱物へと12回転球体断面から8回転球体断面、あるいは6回転球体断面に変化し、シフトした新しい地球という星にかなった調和のとれた動物や、植物や、鉱物を選択してスタディすることが可能なレベルの場合は、それを選ぶわけですが、それも不可能なほど不調和だった場合ということです。

おわりに

本書をお読みくださいましてありがとうございました。今読者の皆様が、もし全文に目を通してくださったとしますと（顕在意識で全て理解されたかいかんにかかわらず、本質が大変直観的に受け止められてそれぞれの方がそれぞれの周波数で、100倍とか1000倍とか1万倍というふうに変化して高くなっています。「本質」が意識変換されているわけのです。実は、この本を読まれた方は全て読後（□→○）10万回＝10の780万乗以上になるようにプログラムされています。従ってもし、自然の法則にかなって調和のとれたことを「本当はこうだな」と感じた時に、「実行」されますと、原子核の集合体（EXA PIECO）の原子核の数がさらに増えて、その高い周波数を保てる状態になります。反対に「本当はこうだな」と感じていながら、実行しないでい

ますと、周波数は段々下がって戻っていきます。

これはなぜかと言いますと、周波数が上がっているということは、本質の調和のとれた振動波が急激に上がって、その振動波を発振しているわけですから、その干渉を受けて中性子・陽子・電子が正常化の方向に向かい出します。正常化の方向に向かい出すと、細胞まで大騒ぎを始めます。約82兆の細胞が調整しきれないと熱を出したり、要するに風邪をひいたのと同じような症状が起き、まず、痰が出たり咳が出たり熱が出たり、目まいがしたりすることがあります。風邪の場合にはウィルスの歪んだ振動波で中性子・陽子・電子を歪め、その結果ボディを急速に歪めるという、反対の方向でそういう状態が起きます。意識変換して周波数が上がると、同じように中性子・陽子・電子が正常化する方向で急激に変化します。

周波数があまり急激に上がって体調が崩れた場合、お腹をこわす方もあります。あくまで自分が忍耐できる範囲のコンディションでしたら、普通に行動をとって構わないと思いますが、あまり体調が悪い場合には休まれた方がいいと思います。

そして「決心」して「行動」をとるということです。現実の「行動」をとると原子

核の集合体（EXA PIECO）の原子核の数が増えて、「本質」の周波数が下がらず現実の周波数の方が上がっていくのです。

実際には、「本質」の周波数の陰に「現実」の周波数があるわけです。「現実」というのは、どれだけ調和のとれた「行動」をとっているかの周波数です。「本質」の数が生まれた時からどれだけ増加しているか調べるとすぐにわかります。「本質」の周波数と「現実」の周波数が同じ周波数になったら理想です。でも、普通は大体十倍くらいいずれています。常に「本質」が高く、「現実」は「顕在意識」がこれを埋めようとして努力しています。

今は「顕在意識」と比べると、「本質」が１００倍とか１０００倍とかいうふうにずれた状態が起きています。そうしますと、体調に大きく影響した状態がずっと続きます。これは大変なことですから、「本質」の方が下がってきて調整するか、実際に「行動」をとって「現実」の方が上がって調整するか、どちらかの方法で調整しないと体調が崩れたままになってしまうわけです。

周波数が急激に上がりますと、初めの頃いったんはどうしても体調は崩れますが

ら、あまり無理をしないで「決心」して「行動」をとるような方向に変えていただきますと、調和がとれて体調も良くなります。

以上でこの本の役割としての宇宙からの情報の提供を終了させていただきます。

実は、私の〈EXA PIECO〉の重要な役割の一つは、私たち人間の顕在意識が本質に気づき、自然の法則にかなって調和のとれた方向に意識変換するためのお手伝いをすることです。本書はそれを前提にして宇宙の仕組を理解する入門書として制作されたものです。常日頃いろいろとご指導いただいております㈱船井総合研究所の会長をされている船井幸雄先生のご尽力により実現されるはこびとなりましたこと、心から感謝申し上げます。また、この本のベースになりました私の講演テープを起こすといういう大変な労作をお忙しい中快諾下さいました教育学博士の森眞由美先生を始め、ご協力いただいた豊田祐次さん、豊田友子さん、長田桂孟さん、高橋和恵さん、川合茂美さん、藪 英雄さん、河合順子さん、加藤ナルミさんや、またこのような大切な機会をつくって下さいました出版社のPHP研究所さんと担当の大久保龍也さん、その他

多数のサポートをして下さっている方々および、その方々全ての(EXA PIECO)さんに心から感謝申し上げます。

最後に私の(EXA PIECO)が限りなくスタディし成長できるよう気づきをいっしょに起こし、同志でもあった妹、幸子と今もサポートし続けてくれているその本体の(EXA PIECO) DOGE PAFAG（ドーゲ パファーグ）さん、および、私のファミリーとしてボディを選択して共にサポートし合いスタディしている玲子、実朗、壯悟、そしてハルさん、およびその(EXA PIECO)さんに、この紙面をお借りして心から感謝致します。

そして新世紀に向けて、一人でも多くの方々が、宇宙の仕組を理解し、自然の法則にかなった調和のとれた方向へ意識変換されますように、この本が少しでもお役に立てれば幸いです。

一九九五年十一月九日

足立 育朗

表-2 ヒト子宮体癌細胞の増殖と形態波動の影響

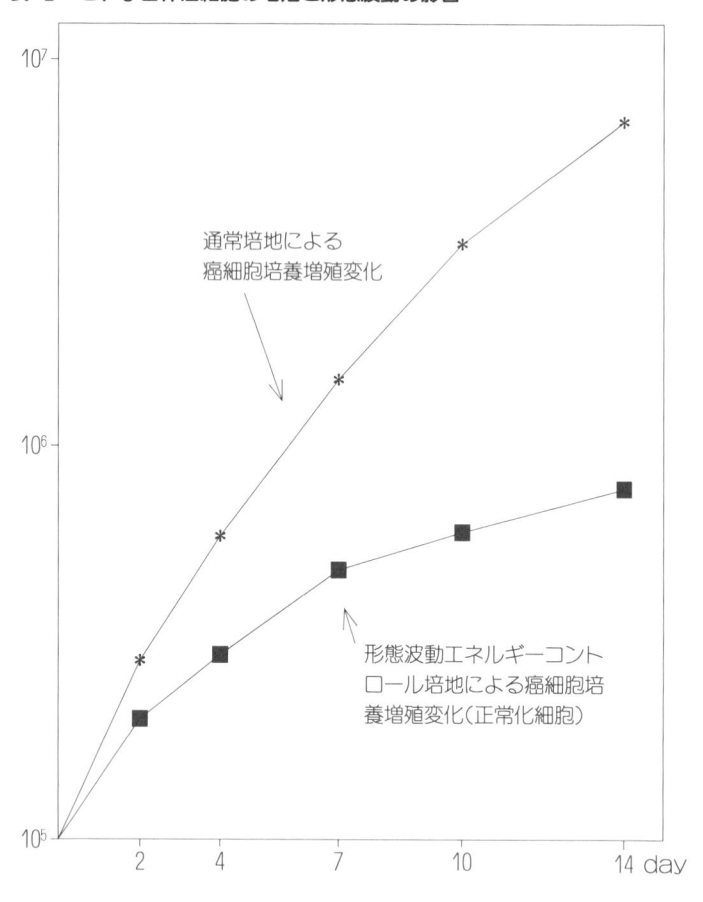

通常培地による癌細胞培養増殖変化

形態波動エネルギーコントロール培地による癌細胞培養増殖変化（正常化細胞）

癌細胞正常化実験
平成7年5月16日北里大学医学部分子生物学研究室中村国衛助教授協力実験

図-3 培養実験の経緯

| 磁化Media培地で培養したもの |

どの写真も悪性腫瘍のCheck Code F005でCheckすると(＋20)〜(＋28)

12日目　　　　　　　　　　　　　　12日目　左下方(○部)の拡大写真

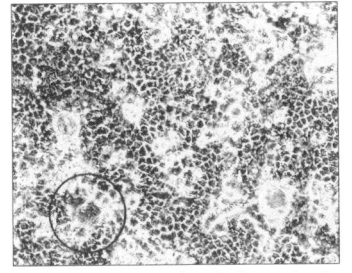

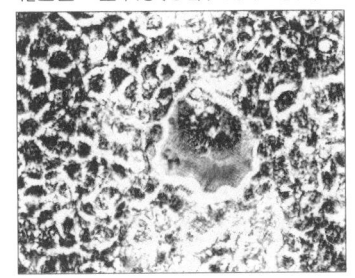

腺構造を形作る方向で分化している。　大きくなった細胞が細胞集団の内側を裏打ちするように空間を作ろうとしている。

| 50B子宮体ガンCell (cultured by normal media) |

A Panel：50B子宮体ガン細胞を培養ボトルから剥離し新しいボトルに移植
12日目

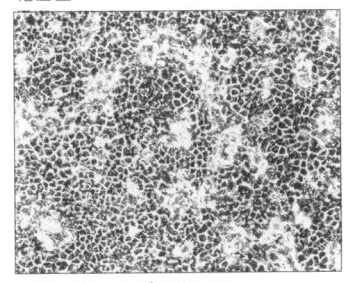

細胞の大きさが不揃いで、
Piling up顕著。

図-2　培養実験の経緯

| 磁化Media培地で培養したもの |

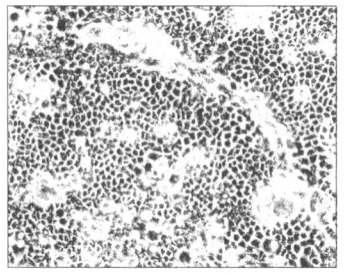

6日目

9日目

丸いRing状Cellが集まり、疑似管腔構造を作り始めている。
一部細胞が大型化し、管内皮細胞の役を始めている。

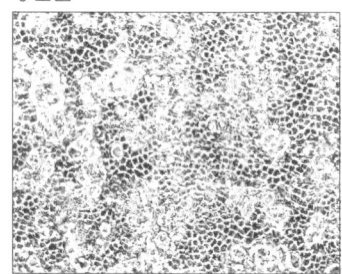

BaseのCellは比較的均一の大きさを維持、腺構造をとりつつ方向性をとろうとしている。

| 50B子宮体ガンCell（cultured by normal media） |

A Panel：50B子宮体ガン細胞を培養ボトルから剥離し新しいボトルに移植

6日目

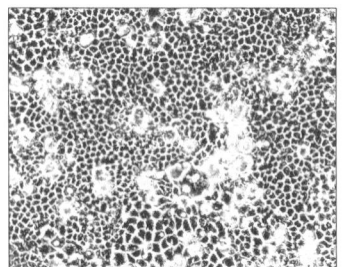

9日目

部位により大小不揃い。
白っぽい分裂細胞多い。

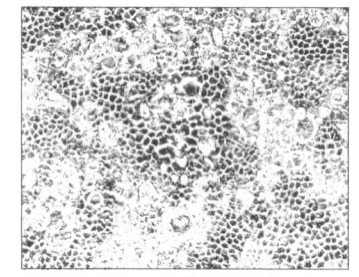

6日目に現われた特徴が目立つ。

図-1 培養実験の経緯

磁化Media培地で培養したもの

3日目

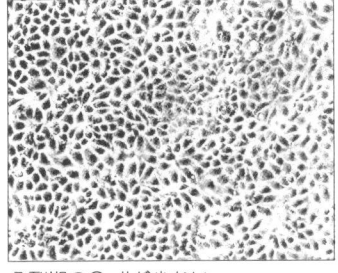

分裂期のCellが少ない。

5日目

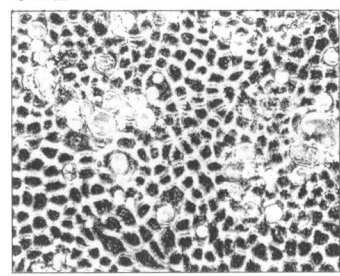

丸いRing状Cellが目立つ。

50B子宮体ガンCell (cultured by normal media)

A Panel：50B子宮体ガン細胞を培養ボトルから剥離し新しいボトルに移植

3日目

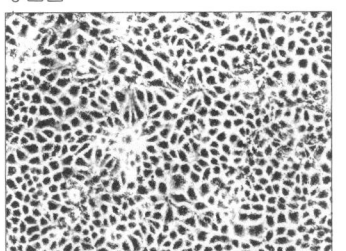

細胞の大小不揃い。

5日目

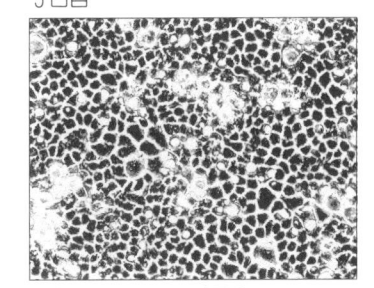

細胞の大小不揃いが目立つ。

表1 波動エネルギー蘇生装置FALF(エントロピー減少装置)のMRA測定表
Energy PlateのMRAによる解析

Plate No.	Code	Score	
1.抗がん・ウィルス	F005	>27000	
CEGIN	Z000	>27000	
DILEKA	A000	>27000	
KEGOT	I000	>27000	
FEWU	F666	>27000	
DEGZ	Z000	>27000	
2.細胞の歪み矯正 19本線入り	Z000	>27000	
3.分子の歪み矯正	J666	>27000	
4.原子模型	G999	>27000	
5.全物質正常化	J000	>27000	
AHANP	G999	>27000	
HCIN	A000	>27000	
EHTEL	Z000	26479	Z444、Z555をcover
ASTLAL	H000	>27000	
MENTAR	J666	>27000	
COSAL	0000	>27000	
KECI	J000	>27000	
CHOAD	Z000	>27000	Z111～Z999全codeをcover

水にEnergyを転写した時

印加時間	悪性腫瘍 F005	白血病 E433	糖尿病 I009	アレルギー G383	高血圧 D520	脱毛症 D641	精神分裂病 D473
5sec	291	301	303	302	296	303	304
10sec	602	613	611	611	606	610	609
60sec	1140	1209	1181	1202	1198	1212	1196
300sec	>27000	>27000	>27000	>27000	>27000	>27000	>27000

のそれぞれのエネルギーを自然の法則に適った方向に調和をとり結果としてガン細胞が正常な細胞にエネルギー変換をおこなった。

【実験結果】

A）予備的確認

波動エネルギー蘇生装置によってエネルギー加波された水及び、各装置をMRA測定によって測定を行い非常に高い数値が得られた。（表-1）

エネルギー加波水は、従来の情報水とは全く質の異なったエネルギーを保有していることがMRAの測定数値、あるいは、現在地球の科学で転写可能なあらゆるエネルギー（横波型）によっても変化しないことからも確認される。これは、フリーエネルギーで考えられているエントロピーを減少（電子、原子、分子、細胞レベルの正常化）させる縦波型のエネルギーであることが予測される。

B）癌細胞（子宮体癌）培養実験

①経緯観察（図1／2／3）

●通常培地による癌細胞培養実験

癌細胞分裂、増殖を示す細胞の大小不揃いが早い時期から現われはじめ、時間経緯と共に増殖を繰り返し細胞の上に細胞が積み上がって増大していくPiling up現象が観察された。

——MRA測定で子宮体癌細胞であることが確認された——

●エネルギー加波した培地による癌細胞培養実験

細胞間が接近すると分裂増殖速度が遅くなり、ところどころに管腔構造を作りはじめ正常細胞が示す特徴である形態変化が観察された。

——MRA測定では正常細胞に戻ったことが確認された——

②細胞増殖変化（表2）

●通常培地による癌細胞増殖変化

時間経緯と共に相乗的に細胞増殖は進む癌細胞増殖の特徴が見られる。

●エネルギー加波した培地による癌細胞培養実験

初期時間に増殖をはじめある時間経緯、あるいはある個数に増殖が進むと急激に増殖速度が緩くなっているのが見られる。これは正常な細胞に見られ、細胞が増殖し、細胞どうしが接近あるいはくっつき合うようになると増殖がとまるという特徴（Contact Inhibition）がみられる。

癌細胞正常化実験（巻末資料）

【実　験】
波動エネルギー蘇生装置FALF（エントロピー減少装置）によるガン細胞正常化実験

波動エネルギー蘇生装置によってガン細胞を正常化するエネルギーに変換された培地で子宮体癌細胞の培養を行い、癌細胞の正常化の確認実験を行った。

【実験の実施】平成7年5月
中村国衛医学博士の協力実験
北里大学医学部分子生物学研究室

●波動エネルギー蘇生装置－FALF－（エントロピー減少装置）

波動エネルギー蘇生装置はファルフボックスと呼ばれる増幅の働きをするBOXに情報でえた下記装置を組み合わせた。

> エントロピー減少基本装置
>   1. 中性子正常化形態装置－ODEO－
>   2. 原子正常化形態装置－ATOMH－
>   3. 分子正常化形態装置
>   4. 細胞正常化形態装置
> 癌ウィルス正常化装置
>   1. 癌細胞正常化形態装置

この5つの装置とファルフボックスからなる装置を使い、次の波動エネルギーの形態と波動エネルギー

> 5つの波動エネルギー形態
>   CEGIN波（物質波）
>   DILEKA波（電磁波）
>   KEGOT波（磁気波）
>   FEWU波（未知）
>   DEGZ波（未知）
> 342種類の複合波のエネルギー
>   周波数、波長、波形、振幅等の組み合わせ

によってガン細胞の正常化に必要なエネルギーをコントロールし、

> 中性子、陽子
> 原子核、電子
> 原子
> 分子
> 細胞

著者紹介

足立 育朗（あだち いくろう）

1940年、東京都生まれ。1964年、早稲田大学第一理工学部建築学科卒業。1968年、樹生建築研究所設立。1990年、形態波動エネルギー研究所設立。宇宙はエネルギー及び物質の振動波で構成されていることを真の科学として直覚し、研究・創作活動として実践する。すべての存在、現象は、エネルギー及び物質の振動波であることを自らの周波数変換によって発見し、振動波科学の基礎的研究活動を行い、時空が意識と意志及び、振動波と時空元が全て回転することによって成り立っていることに気づき、自然の法則に適った地球文化の創造に役割を続ける。

著書に、『波動の法則』（1995年PHP研究所刊。2002年形態波動エネルギー研究所刊。2007年ナチュラルスピリット刊）、編著書に、『真 地球の歴史』（1998年PHP研究所刊。2009年ナチュラルスピリット刊）など。

問い合わせ先

ホームページ　http://www.noruures-ifue.jp
Eメール　noruures-finf@noruures-ifue.jp

この本は、1995年12月29日にPHP研究所より発行され、2002年9月30日に形態波動エネルギー研究所より再発行されたものを、PHP研究所と著者の許諾の下に再度発行したものです。

波動の法則
宇宙からのメッセージ

●

2007年3月16日　初版発行
2025年4月6日　第2版第15刷発行

著者／足立育朗

発行者／今井 博樹

発行所／株式会社ナチュラルスピリット
〒101-0051　東京都千代田区神田神保町3-2 高橋ビル2階
TEL 03-6450-5938　FAX 03-6450-5978
E-mail : info@naturalspirit.co.jp
ホームページ https://www.naturalspirit.co.jp

印刷所／中央精版印刷株式会社

©Ikuro Adachi 2007 Printed in Japan
ISBN978-4-9314499-98-5 C0030
落丁・乱丁の場合はお取り替えいたします。
定価はカバーに表示してあります。